Disparition nocturne

Florence Germain-Lacour

Disparition nocturne

Roman

ISBN : 979-10-377-7473-6

Préface

Je m'appelle Laura, je viens d'avoir 16 ans, je suis fille unique et je vis avec mes parents. Nous venons d'emménager dans un appartement parisien. Avant nous habitions en Bretagne ; je dois avouer que ce changement de vie a été brutal pour moi. Je suis quand même passée du calme de la campagne ; en effet nous vivions avec des champs tout autour de chez nous, au bruit de la ville et il faut s'y habituer, ce n'est pas tous les jours facile. Je suis rentrée cette année en 1ère S au lycée Pierre Lefèvre, j'ai passé une très bonne année. Je passe avec les félicitations en terminale S.

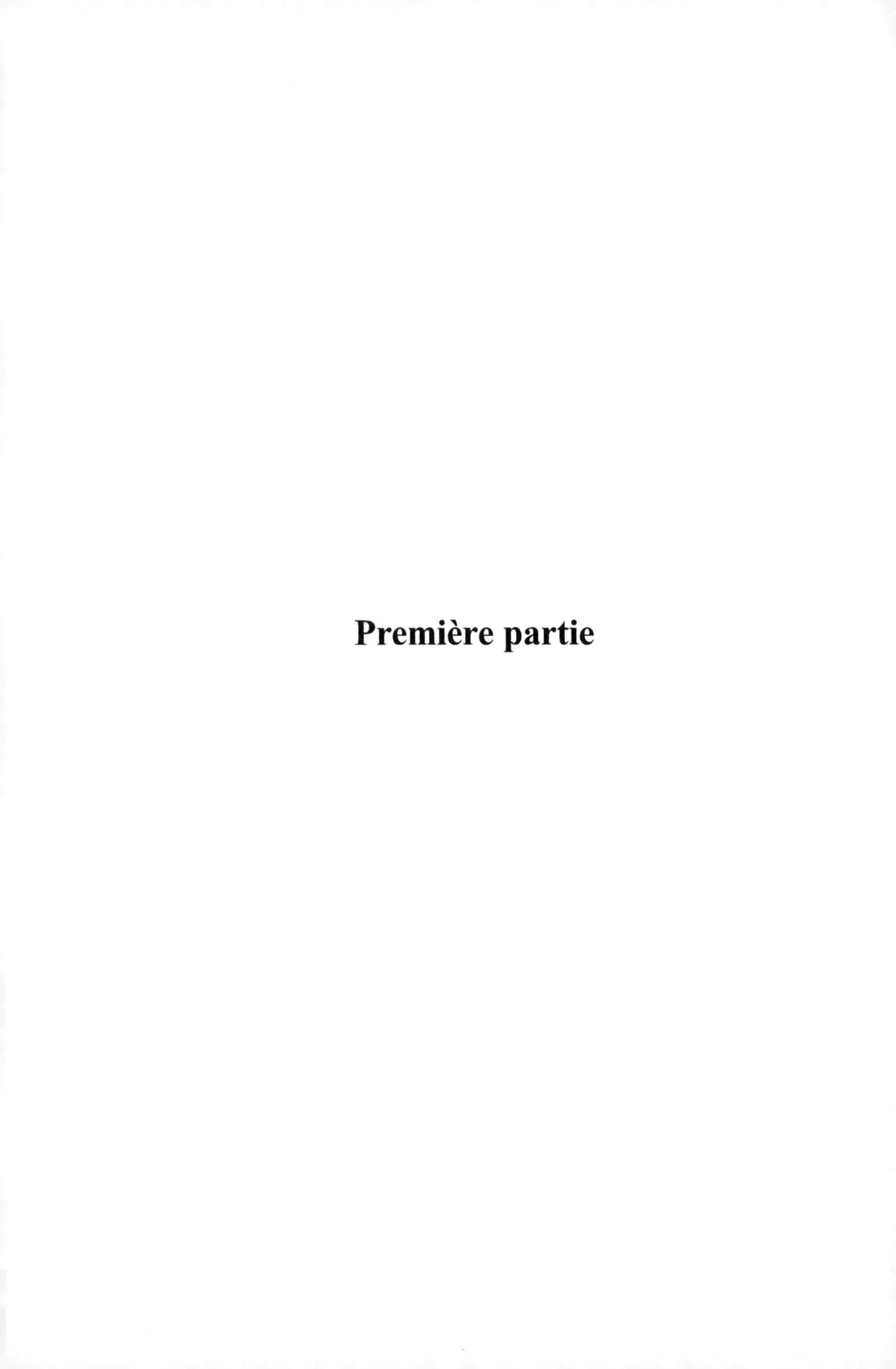

Première partie

I

Les vacances d'été viennent de commencer, comme chaque année, je vais partir tout le mois de juillet en colonie. Mes parents travaillent donc je préfère aller m'amuser. Sinon, je m'ennuie seule à longueur de journée, autant que je parte profiter des vacances. J'avoue que cette année j'appréhende un peu car depuis l'âge de 12 ans, je partais avec le même organisme et à chaque fois tout se déroulait parfaitement. Ayant déménagé, mes parents ont dû en trouver un autre qui, ma foi, a l'air bien. Nous allons prendre le car direction le sud à La Grande-Motte très exactement, c'est tout près de Montpellier. Nous logerons dans des bâtiments dédiés aux colonies. Il y aura piscine, tennis et plein d'autres activités, ça va être génial je n'en doute pas.

Je pars dans quelques jours, je prépare donc ma valise, car pour un mois, j'ai besoin de pas mal de choses ; je dresse toujours une liste pour ne rien oublier.

Le jour du départ arrive très vite, je suis heureuse, mais très stressée. Mes parents le ressentent et me rassurent. Ce qui fonctionne plutôt bien et m'aide à partir sereine. Nous allons faire la route en car, nous partirons vers 6 h du matin. Tout le monde est content. Moi aussi, car je suis avec ma meilleure amie

Leslie qui part aussi. Elle est déjà à l'intérieur et me fait signe de venir, je ne me fais pas prier. Le conducteur démarre à l'heure prévue. Nous parlons tout le trajet, du coup ça passe beaucoup plus vite. On regarde les jeunes autour de nous pour voir s'il y a de futures amitiés possibles. Et pourquoi pas se trouver un copain, nous comptons bien en profiter pour trouver l'homme de notre vie, au moins !

Nous arrivons sur place aux alentours de 16 h. J'envoie un message à mes parents pour les prévenir. Ils sont rassurés et me disent de bien profiter. Nous avons le droit de choisir nos chambres, il faut juste qu'on soit deux ou trois et pas de mixité, ce qui est normal. Leslie et moi choisissons une chambre pas loin des sanitaires, autant que ça soit pratique. Quelques minutes plus tard, une jeune fille rentre dans la chambre, elle se présente gentiment.

« Je m'appelle Floriane, je peux venir dans votre chambre, si cela ne vous dérange pas ? »

On lui sourit et nous lui disons qu'elle est la bienvenue. Elle a 16 ans tout comme nous, mais elle est en seconde, car elle a redoublé. Nous nous installons tranquillement. Il y a trois lits et deux placards ; nous en laissons un entier à Floriane et nous prenons l'autre pour nous deux.

Quelques heures plus tard, des animateurs viennent nous chercher. Nous devons tous aller nous regrouper à l'extérieur. Ils nous expliquent que vu l'heure, nous avons quartier libre. Il est déjà 18 h, et nous dînerons vers 20 h. Nous avons donc le droit de nous promener uniquement dans le centre de vacances pendant une heure et le rendez-vous sera ici à 19 h. Leslie, Floriane et moi décidons d'aller du côté des activités, afin de voir ce que nous pourrons faire les autres jours. Nous apercevons les piscines ; il y en a plusieurs. Au loin, il y a un cours de tennis et derrière, un mini-golf. Sincèrement, tout est là pour que nous passions un super séjour. Il est déjà l'heure de retourner au point de rendez-vous. Une fois arrivées, nous retournons vite fait dans nos chambres afin de nous préparer pour aller dîner à la cantine qui se situe derrière le bâtiment principal. Le repas est mangeable, mais sans plus comme dans toutes les restaurations scolaires. Une fois le repas terminé, nous retournons dans notre chambre pour nous coucher. Nous discutons un peu pour apprendre à nous connaître. Le feeling passe plutôt bien pour le moment. Nous nous sommes endormies aux alentours de 23 h.

Le lendemain et les jours suivants, nous faisons pleins d'activités : Plage, piscine, tennis pour ceux qui veulent et encore plein d'autres choses. Leslie s'est rapprochée d'un animateur que je n'aime pas trop, mais elle en est accroc. Je la préviens tout de même de faire attention et de ne surtout pas aller plus loin avec lui. Je sens qu'il n'attend que ça. Depuis, nous sommes un peu en froid sur le sujet donc lorsque nous sommes ensemble, j'évite d'en parler. Je me confie davantage à Floriane qui partage mon avis. Cet animateur s'appelle Loïc et il doit avoir 25 ans donc pratiquement dix ans de plus que Leslie. Pourtant, ça n'a pas l'air de l'effrayer, c'est plutôt le contraire. Un soir, en allant en direction des sanitaires, je croise Leslie qui court vers moi en me disant qu'après dîner, elle va avoir un rencart avec Loïc. Elle est tout heureuse ; en ce qui me concerne je suis plutôt dubitative sur le sujet et je ne me gêne pas pour le lui dire. Elle m'envoie bouler et part en criant :

« Tu es juste jalouse, c'est pathétique ».

Je ne réponds rien et je pars me laver et m'habiller, avant de filer à la cantine. Sur le chemin, je croise justement cet animateur qui me sort :

« On se dépêche d'aller manger ».

Je ne lui réponds pas et avance plus rapidement afin de le semer. Après avoir mangé, je pars dans ma chambre avec Floriane et nous décidons de faire des petits jeux en attendant que Leslie rentre. Il est presque minuit et elle n'est toujours pas là, on commence à s'inquiéter. C'est à ce moment précis qu'elle arrive, tout sourire, nous disant que ça y est, elle a été plus loin avec lui.

« Il est arrivé à ses fins, il va te lâcher maintenant », lui dis-je d'un ton énervé ! Elle commence alors à m'agresser verbalement et juste après, elle part se mettre dans son lit.

II

Ça va bientôt faire une semaine que nous sommes là. Aujourd'hui, les animateurs décident d'organiser une soirée, nous sommes tous trop content. Nous avons l'autorisation d'aller nous acheter des tenues pour ce soir en ville. Floriane, Leslie et moi partons en direction du centre-ville tout de suite après le déjeuner afin de nous trouver une jolie robe.

Ensuite, nous allons manger une glace et profiter de la plage ensemble. Nous nous installons pour bronzer. Puis, nous allons aussi nous baigner. Nous apercevons au loin des jeunes de la colonie qui nous font signe de les rejoindre. Je trouve ça vraiment gentil de leur part. Nous faisons connaissance, ils sont très sympathiques ! Nous rentrons sur les coups de 19 h. Ensuite, nous partons dîner. Tout de suite après avoir mangé, nous prenons la direction de la soirée dansante organisée par les animateurs. Nous rigolons, c'est vraiment bien. On danse, chante, la soirée est vraiment géniale. Nous allons nous coucher aux alentours de minuit. Le lendemain, nous devons nous lever tôt pour partir en excursion à Nîmes. Nous allons visiter, pique-niquer et profiter de la ville. J'ai hâte, même si je sais que c'est une ville très chaude.

Nous nous levons assez tôt, nous allons partir vers 8 h. Nous partons prendre notre petit déjeuner sur les coups de 7 h 30.

Ensuite, nous allons nous installer dans le car. Nous nous mettons côte à côte avec Floriane. Leslie préfère être devant pour être proche de lui. Flo et moi parlons de tout et de rien durant le voyage. Nous abordons également le sujet de la relation étrange de Leslie avec ce garçon. Nous craignons vraiment pour elle. Je suis en train de lui dire que je n'arrive pas à croire qu'elle ait pu aller plus loin avec lui alors qu'elle ne le connaît que depuis cinq jours. Ce n'est pas le comportement de la Leslie que je connais. Je crains qu'il se soit montré brusque avec elle, mais je ne pense pas. La route est relativement rapide, on a dû mettre environ une heure. Tout le monde descend et nous attendons que les animateurs nous disent ce qu'ils ont prévu. Ils nous divisent en deux groupes ; nous devons nous retrouver au même endroit à 13 h afin de trouver un coin agréable pour déjeuner. Une fois tout le monde répartis, nous commençons à nous balader, je suis avec Floriane et Leslie. Trop contente qu'elle soit avec nous. L'animateur en question est là, il passe son temps à la regarder, et vice versa. Cela m'énerve mais au moins, nous sommes ensemble et on se parle enfin ! Elle me raconte à quel point elle est amoureuse de lui. De mon côté je lui dis de quand même faire attention, car je ne le sens pas. Elle m'assure que c'est un garçon très bien. Je ne demande qu'à la croire mais pour l'instant, je suis sceptique sur le sujet.

La ville de Nîmes est vraiment belle. J'adore cette journée ! À 13 h, nous allons tous manger dans un grand parc. Nous nous installons sur l'herbe, c'est très sympa. On papote pendant un long moment, nous parlons et rigolons ensemble. Je la retrouve comme avant, quel bonheur ! Après le repas, nous avons quartier libre, mais nous devons revenir à 17 h dans ce parc à cet endroit même. Nous prenons la décision de partir toutes les trois à l'aventure de la ville. Nous suivons quand même le GPS de mon portable pour ne pas nous perdre. Nous cherchons une boutique pour ramener des souvenirs. C'est notre rituel à Leslie et moi lorsque nous allons quelque part. J'achète un Mug avec les arènes dessus et elle, elle prend une peluche. Floriane nous attend dehors, car elle ne veut rien. À un moment, nous nous séparons, Leslie d'un côté et de l'autre Floriane et moi. Nous voulons aller visiter les arènes et elle ne veut pas. Elle prend donc la décision de retourner au parc. Nous, nous allons faire notre visite qui s'est d'ailleurs avérée très intéressante.

Nous repartons au point de rendez-vous, tout le monde est déjà là même Leslie qui parle avec un garçon. Elle a l'air de bien rigoler donc je ne suis pas allée l'embêter. Nous remontons tous dans le car en direction de la colonie.

En arrivant à La Grande-Motte, les animateurs vérifient de nouveau si tout le monde est bien là. Ils l'avaient déjà fait avant de partir de Nîmes. Nous sommes bien au complet. Le soir même, nous sommes dans notre chambre toutes les trois. À un moment, Leslie nous dit qu'elle veut aller prendre une douche. Elle a trop chaud et ne pourra pas dormir sinon. Elle sort avec sa serviette et sa trousse de toilette. Floriane et moi sommes fatiguées, nous nous endormons assez rapidement avant même son retour.

III

Le lendemain, lorsque j'ouvre les yeux je remarque tout de suite que Leslie n'est pas rentrée. Son lit n'est pas défait, donc elle n'a pas dormi là. Floriane me dit de ne pas m'inquiéter et d'aller voir si elle n'est pas déjà au petit déjeuner. Je n'y crois pas du tout, car en général on s'attend toujours toutes les deux. J'y vais quand même et elle n'est pas là. Je vais le dire à l'animatrice. Elle essaye de me calmer, car elle voit que je suis tout affolée. Je lui raconte qu'hier soir, elle est allée prendre une douche et que depuis elle n'est pas rentrée. Floriane acquiesce, mais rajoute quand même, que nous nous sommes vite endormies. Nous ignorons si elle est rentrée ensuite. Personnellement, je sais que non et je le fais bien comprendre. L'animatrice va prévenir quelqu'un qui fait un appel au micro dans toute la colonie sans résultat. Loïc est là et il a l'air de n'en avoir rien à faire. Je vais le voir en lui disant.

« J'espère que tu ne lui as rien fait, sinon ça va aller très loin. »

Il me dévisage et me fait signe de me taire, car personne n'est censé savoir qu'il est en couple avec elle. Énervée je lui crie dessus :

« Fallait réfléchir avant mon grand. »

Floriane vient me calmer, car je suis en train de hurler devant tout le monde. Elle me prend à part et essaye de m'apaiser et de me rassurer. Ça marche un peu, mais sans plus. Mon cœur bat comme jamais ; je ne sais pas si je dois prévenir ses parents ou attendre. Elle est peut-être juste partie se promener, je n'y crois pas du tout au fond de moi. Je n'ai pas besoin de réfléchir longtemps, car une animatrice me prévient qu'elle a appelé les parents de Leslie. Ils vont arriver dans la journée. Je suis dans un cauchemar, Monsieur ne veut pas que sa relation se sache de peur de perdre son boulot. Personnellement, je n'en ai strictement rien à faire ! Je pars en parler au directeur et je lui explique tout, il n'en revient pas.

« Tu es sûre de ça, car accuser un animateur d'être en couple avec une jeune fille de la colonie peut être est très grave », me dit-il.

Je lui réponds alors.

« Oui, je sais, mais attention, il ne l'a pas forcé d'après ce qu'elle m'avait raconté ».

Il a bien compris que c'était une relation normale et pas forcée, mais ça ne le rassure pas pour autant, car ça reste interdit. Il me fait comprendre de ne plus m'approcher de Loïc, même si j'ai la rage. Lui de son côté, il va le surveiller de près. Bien évidemment, la police est alertée et va aller dans tous les endroits où Leslie est passée. Elle est bien allée prendre sa douche, car ils retrouvent ses affaires de toilettes et sa robe de chambre. Ça veut donc dire qu'elle s'est rhabillée et a filé directement. Il a dû lui donner rendez-vous derrière les sanitaires, ce qu'elle a fait. Elle pensait sûrement passer un bon moment avec lui, mais il a pété un câble et est devenu fou. Il faut que j'arrête de me monter la tête. La police nous interroge, Floriane et moi, on répète bien que la dernière fois que nous l'avons vu, elle sortait de notre chambre pour aller se laver. Depuis, rien. Même sur mon téléphone pas de textos ni d'appels ce qui ne lui ressemble pas. Elle a son téléphone avec elle, c'est certain, car elle ne sort jamais sans le prendre.

La journée se termine calmement, mais je suis toujours stressée. Lorsque les parents de Leslie arrivent, ils me prennent dans leurs bras ; nous sommes tous en larmes. Ils sont heureux de me voir, ça se ressent. Je ne leur parle pas tout de suite de la relation de leur fille, car je sais qu'elle ne voudrait pas. En revanche, si nous n'avons pas de nouvelles d'elle demain, je dirais au directeur de leur dire. Je préfère qu'ils l'apprennent par lui que moi. Quelqu'un frappe à la porte de notre chambre, c'est Loïc. Comment ose-t-il se ramener ici comme si de rien n'était ? Je suis en colère et je lui fais comprendre. Floriane essaye de me calmer en vain.

« Tu veux quoi ? Tu veux m'enlever aussi c'est ça ? »

Il entre et ferme la porte derrière lui, il me fait comprendre qu'il n'a strictement rien fait et que d'ailleurs hier soir, il n'était pas là.

« Garde tes paroles pour la police et maintenant sors où je hurle ! »

Il est directement sorti de peur que je le fasse. Il a dû voir dans mon regard que j'en étais capable. Je n'en reviens pas qu'il soit venu se justifier comme ça. Floriane est étonnée, mais elle, elle pense que peut-être Leslie a simplement fugué. Elle n'aurait jamais laissé ses parents dans l'angoisse. Ce n'est pas son genre et elle sait très bien que le directeur de la colonie les aurait prévenus immédiatement. Bref, ça ne sert à rien de parler, je suis crevée même si je suis certaine de ne pas dormir de la nuit. Normalement, je sors me brosser les dents, mais avec cette disparition, j'ai trop peur d'y aller.

Je me réveille en sursaut, j'ai même fait peur à Floriane. Il est 8 h 30 et c'est déjà l'effervescence dehors. J'entends parler de partout et je vois par la fenêtre des chiens qui reniflent le sol pour essayer de trouver le chemin que Leslie a pu prendre, ils ont l'air bien dressés ! Je sors de la chambre avec Floriane pour aller prendre le petit déjeuner. J'aperçois Loïc au loin, je détourne le regard, car je ne veux plus le voir celui-ci. Je me demande même ce qu'il fait là, pourquoi il n'est pas avec Leslie ? Est-ce que je deviens folle ? J'aperçois les parents de Leslie qui viennent me dire bonjour. Ils me demandent si j'ai eu des nouvelles, je leur réponds que non sinon, je leur aurais téléphoné. J'en déduis donc qu'ils n'ont rien eu non plus.

« Il faut que je vous parle quand vous pourrez », dis-je.

Ils sont d'accord, mais pas avant la fin de journée, car ils doivent faire plein de démarches à la police et auprès du directeur également.

« C'est un cauchemar, Laura, on ne sait pas si on arrivera à survivre à cela. »

Je les serre dans mes bras et les embrasse. Sur ce, je rentre dans la cantine pour prendre des forces, car je compte bien chercher dans toute la colonie, mais également dans le centre-ville. Si elle est vraiment partie d'elle-même ce que je ne crois toujours pas. Mais bon, ça ne coûte rien de vérifier, je sais que Floriane va m'aider. On se connaît depuis dix jours, mais c'est vraiment une fille adorable.

Une fois prêtes, nous partons aux alentours pour la rechercher en criant son prénom à gorge déployée, mais pas de réponse bien sûr.

Nous allons sur la plage, puis près du centre-ville que Leslie avait beaucoup aimé. On va également sur le port sans trouver aucune piste ; nous tournons en rond. Nous mangeons un sandwich en terrasse et ensuite, nous décidons de rentrer. Nous passons par un chemin différent au cas où elle serait dans ce coin. Nous revenons bien évidemment seules. Lorsque nous arrivons, tout est calme, je ne comprends pas trop pourquoi, est-ce qu'elle est revenue ? Je ne pense pas, car ses parents m'auraient contacté ou elle directement. J'aperçois de la lumière dans une pièce au fond que je ne connais pas encore. Je pars voir et tout le monde est réuni à l'intérieur. La police explique les recherches faites par les chiens ; ils ont senti l'odeur de Leslie jusqu'au chemin qui se trouve près de la piscine, celui derrière les douches. Après, ils ont stoppé d'un coup ! Ce qui veut dire que c'est à cet endroit précis qu'elle a disparu. Mais comment ? On ne sait pas, mais ce qui est sûr c'est qu'en voiture c'est impossible et d'ailleurs il n'y a aucune trace de pneus. On est donc dans une impasse. Demain, ils interrogeront tout le monde, jeunes et adultes sans exception !

IV

Nous sommes le 14 juillet, ça fait maintenant trois jours que Leslie a disparu et que tout le monde la cherche partout. Hier, je n'ai pas revu ses parents, je n'ai donc pas pu leur parler. Je me décide à leur téléphoner ; je leur donne rendez-vous dans un café du centre-ville où je me rends avec Floriane, sa présence me rassure. Nous les retrouvons et je leur explique en détail tout ce que je sais de la relation de leur fille avec cet animateur. Je leur dis bien que c'est une relation consentie. Elle n'a pas été forcée pour quoique ce soit d'après ce qu'elle me disait. Elle me parlait souvent de son couple et elle était vraiment heureuse. Ses parents sont choqués que leur fille ait pu avoir ce genre de petit ami. Et encore plus, qu'elle ait sauté le pas si rapidement. Je leur dis que moi aussi, ça m'avait étonné.

« Je l'ai mise en garde plusieurs fois. À un moment, elle ne voulait même plus me parler », leur dis-je.

Ils écoutent sans rien dire, jusqu'au moment où son papa dit :

« Il faut surveiller cet individu et vite ».

Je leur dis que j'ai déjà prévenu le directeur. J'avais juste préféré attendre avant de leur en parler ; au cas où Leslie serait revenue toute seule. Je n'ai pas réussi à attendre longtemps, car je n'aime pas cacher des choses surtout quand c'est aussi grave. Ils me remercient et payent le verre que nous venons de boire.

Nous repartons ensuite en direction de la colonie de vacances pour voir s'il y a eu du nouveau, mais également rentrer nous reposer un peu. Il est déjà 14 h et nous n'avons même pas déjeuné. On décide de prendre une pizza à emporter chacun et nous la mangeons dans la cantine. L'après-midi, je reste dans les alentours, je vais un peu me baigner dans la piscine. Les parents de Leslie me disent de continuer à profiter quand même. La police cherche et on ne peut rien faire de plus malheureusement. De toute façon, le séjour est déjà foutu pour moi, sans elle. Le directeur me convoque dans son bureau, il est avec la police. Ils me demandent de tout raconter de ce que je sais au sujet de la relation entre Leslie et cet animateur. Je dis tout dans les détails, enfin le peu que je sais, car elle a été assez discrète concernant cette histoire. Les policiers me demandent si je pense que ça peut être lui. Je leur réponds que je ne peux pas en être convaincue, mais ça me paraît logique. Je pense que si Leslie lui a dit quelque chose qui ne lui plaisait pas ou si elle a voulu le quitter, il a peut-être pu péter un câble et s'en prendre à elle. Je leur répète quand même :

« Je ne connais pas ce garçon, donc je ne sais pas comment il est en privé. Est-ce qu'il est calme ou violent ? »

Les policiers me remercient et me disent de les contacter si quelque chose me revient. L'un d'entre eux me donne sa carte, je la mets dans ma poche. Ils me demandent de faire venir Loïc. Je vais le chercher et l'accompagne jusqu'au bureau, je repars directement. Si seulement, je pouvais être une petite souris pour voir ce qu'il se passe à l'intérieur, ça serait génial. Ce qui est sûr c'est qu'il reste plus longtemps que moi avec eux, mais bon, ça ne veut absolument rien dire. La fin de journée arrive enfin, je dis « enfin » parce que je n'en peux plus de tout ce qui se passe en ce moment. J'ai l'impression que ma tête va exploser.

J'aimerais que ce soit déjà la fin du séjour, mais non, il reste encore une semaine. Je sens déjà qu'elle va être longue. Et puis partir d'ici en laissant Leslie quelque part, ça me rend malade, enfin on n'en est pas encore là. Ses parents me proposent de venir dîner dans leur hôtel seule. Floriane comprend complètement. Elle va manger de son côté à la cantine. Nous nous installons à une table et nous mangeons tout en parlant des bons moments passés avec Leslie, ça me fait du bien. Ce qui me fait mal s'est que nous parlons d'elle au passé comme si elle était morte et ça me perturbe. Ils me demandent de leur parler des derniers jours de leur fille, ce que j'avais fait avec elle. Je leur raconte, nos délires, nos fous rires, les moments de détente, la virée à Nîmes qui a été la dernière journée entière où je l'ai vue, car elle a disparu le soir même. La soirée s'achève aux alentours de 22 h 30. Le papa de Leslie me raccompagne jusqu'à ma chambre, car il craint pour moi. On devient tous parano. Je me douche la journée et uniquement quand il y a du monde dans la pièce, jamais seule.

Les journées se ressemblent toutes : recherches, pleurs, stress, angoisses. Quelques activités et les recherches reprennent, c'est sans arrêt. Finalement, je commence à avoir hâte de rentrer chez moi pour souffler et ne plus trop y penser, même si Leslie est toujours dans ma tête tous les jours. Plus que quelques jours et je serai à la maison.

Aujourd'hui, un garçon que je ne connais est venu me parler et m'a dit que le soir de la disparition de Leslie, il a vu un homme traîner près des douches. Il n'a malheureusement pas pu voir son visage. Il s'est tout de même demandé ce qu'il faisait là. En revanche, il ignorait que Leslie était dans la douche sinon, il serait resté pour la protéger au cas où. Je lui dis d'aller voir la police pour leur dire. J'appelle l'inspecteur qui m'a donné sa carte. Il arrive peu de temps après pour interroger ce garçon dans le bureau du directeur. Je n'ai pas eu le droit de rentrer mais de toute façon, il m'a déjà tout raconté. Le principal est qu'il puisse faire une description de cette personne même si elle est juste vestimentaire. Il ressort au bout d'une heure. Il vient me dire qu'il a décrit uniquement la tenue de cet homme. Je lui réponds que c'est déjà bien et je le remercie. Malheureusement, son aide n'a pas servi. La tenue décrite ressemble à celle de la plupart des jeunes de la colonie. Du coup, tout repart à zéro.

Le jour du retour est arrivé, avec l'accord de mes parents, je suis repartie en voiture avec les parents de Leslie. J'ai bien évidemment échangé mes coordonnées avec Floriane, car cette horrible histoire nous a beaucoup rapprochées. On en a donc pour au moins 8 h de route. Nous parlons durant tout le trajet sauf pendant deux heures environ pendant lesquelles je me suis endormie comme un bébé. Je suis heureuse d'être avec ses parents, j'ai l'impression d'être un peu avec elle. Cependant, le fait d'être repartie, j'ai l'impression de l'abandonner. D'après la police et les recherches faites, Loïc n'y est pour rien, il y a eu plein de vérifications. Ce soir-là, il était avec d'autres animateurs dans un bar. C'était sûrement un jeune qui se promenait. Que ce ne soit pas lui OK, mais je suis certaine que c'est quelqu'un de la colonie.

Nous arrivons enfin, il est environ 19 h. Mes parents sont là. Ils invitent les parents de Leslie à dîner, la soirée se termine tard.

Deuxième partie

V

Dix ans plus tard, je viens d'avoir 26 ans, je suis en couple et j'attends un bébé, nous vivons à Montpellier. Depuis cet été où tout a basculé, j'ai toujours eu envie d'aller m'installer dans cette région, je ne sais pas pourquoi, sûrement l'impression d'être proche d'elle !

Je suis maîtresse d'école en maternelle, c'est vraiment agréable de pouvoir faire ce que l'on aime. Mon compagnon lui est vétérinaire. Nous nous sommes connus chez des amis en commun il y a 5 ans déjà. Nous envisageons de nous marier d'ici 4 ans dans la région. J'ai eu la demande en mariage dont j'avais toujours rêvé. Aujourd'hui, nous sommes en début d'année scolaire, je suis actuellement dans ma classe en train de tout préparer pour la rentrée qui aura lieu dans deux jours. J'enseigne en petite section. J'aime tellement cette classe, elle est à la fois difficile vu que les enfants sont souvent tristes. En effet, c'est la première vraie séparation avec leurs parents pour certains. Elle est aussi facile, car à cet âge-là, les enfants en général écoutent bien sauf quelques exceptions comme dans tout, mais je n'ai encore jamais été déçue de mes élèves. Je suis en train de tout ranger par couleur, taille et catégories pour que les enfants arrivent à se repérer facilement. Après cette journée de préparation, je rentre chez moi pour me reposer. Mon bébé va pointer le bout de son nez en février. Je vais devoir stopper mon activité, en pleine année et je déteste ça. Les petits s'attachent à leur maîtresse et les laisser tomber me rend déjà malade. Le mois prochain, nous saurons le sexe de notre bébé, nous avons hâte. Me voilà de retour à la maison, je suis seule, car mon mari est à la clinique vétérinaire, il travaille tous les jours de 9 h à 19 h et un samedi sur deux également. Heureusement pas le dimanche sauf s'il y a une urgence. J'aime tellement son métier, en plus de ça ; Franck est d'une douceur incroyable. Il est 17 h 30, je décide de faire une sieste, j'en fais souvent depuis ma grossesse. Normalement, je déteste en faire mais là, ça me fait vraiment du bien. Je me réveille d'un coup en entendant la porte, c'est Franck. J'ai donc dormi pratiquement 3 h. Il me propose d'aller au restaurant. Je pars me préparer et nous partons en direction de la Place de la Comédie afin de trouver un restaurant sympa dans les rues à côté. Nous découvrons une grande terrasse très agréable. Je prends une salade et lui un tartare de bœuf, c'est vraiment délicieux. Nous sommes tranquillement en train de discuter lorsque mon regard se tourne dans une direction sans raison. J'aperçois une jeune femme de mon âge qui est debout, je l'ai tout de suite reconnue, c'est Leslie, j'en suis certaine. Je me lève d'un coup, mais le temps d'arriver, il n'y a plus personne. Je retourne m'asseoir et j'explique tout à Franck. Il est bien évidemment au courant de l'histoire que j'ai vécue il y a dix ans maintenant. Il me dit que c'est mon imagination qui me joue des tours, mais je reste persuadée que non. Je l'ai bien vu et à partir de ce soir-là je décide de la rechercher de nouveau jusqu'à ce que j'aie des réponses.

« Si c'est vraiment elle que tu as vue, ça voudrait dire qu'elle a coupé les ponts avec tout le monde et que ce n'était pas un enlèvement », me dit-il.

C'est vrai que je n'avais pas pensé à ça du tout ! Une fois le repas terminé, nous allons un peu nous promener afin de digérer et de ne pas rentrer tout de suite. Nous voulons aussi profiter encore des beaux jours avant l'automne. De retour à la maison, je n'arrête pas de penser à cette fille que j'ai vue dans la rue et qui a disparu d'un coup. Je pense que j'ai dû rêver ou halluciner. Franck voit bien que ça m'a perturbé. Il essaye de me parler et de me rassurer gentiment :

« Je vais reprendre les recherches jusqu'au bout », lui dis-je.

Il me sourit et me dit :

« Je t'aiderais si besoin ».

Et il m'embrasse tendrement. Sur ce, nous allons nous coucher.

Et voilà, nous y sommes, c'est lundi, le jour de la rentrée, je vais avoir les petits par groupe, un le matin et l'autre l'après-midi. J'ai vraiment hâte de tous les découvrir. Les groupes sont constitués de douze enfants, je vais avoir une classe de vingt-quatre cette année. C'est bien quand je n'en ai pas trop comme ça, car je peux vraiment bien m'occuper de chacun et j'ai en plus l'aide de Léna, l'ATSEM. Je me suis présentée à chaque groupe, j'ai pu mettre un visage sur leurs prénoms, c'est adorable ce moment-là. La journée touche à sa fin, je range tout ce que nous avons fait aujourd'hui et je remets chaque activité à sa place pour que les enfants se repèrent facilement le lendemain. Je me dirige ensuite vers le hall de l'école pour sortir et rentrer chez moi. Soudain j'aperçois au loin dans la rue, la même personne qu'hier. Je cours de toutes mes forces mais elle disparaît d'un coup, comme la veille. C'est fou quand même ! Cette fois-ci, je l'ai vu rentrer dans un magasin Je vais pouvoir la décrire à la police. Il y a forcément des caméras de surveillance dans le coin.

Je prends la direction de la maison, mais je fais quand même un détour par la clinique vétérinaire pour voir Franck. Il est en consultation, j'attends donc qu'il termine. Il sort et me fait signe de rentrer. Je me dépêche, car je sais qu'il est en plein boulot. Cette deuxième vision m'a vraiment perturbée. Quand il ferme la porte derrière lui, j'éclate en larmes. Il me serre alors dans ses bras ; il croit que c'est un souci concernant la grossesse. Je le rassure tout de suite. Je lui raconte vite fait ce qu'il vient de se passer.

« Il faut que tu arrêtes de te rendre malade, ce n'est pas bon pour toi et le bébé », me dit-il.

Je lui raconte que je compte aller au commissariat avant de rentrer à la maison. Il me dit que les agents vont rigoler, car je n'ai pas de preuves et ils ne regardent pas les caméras de surveillance pour faire plaisir aux gens.

« Mais là, il y a eu un dossier ouvert, donc ce n'est pas pour me faire plaisir », lui répondis-je énervée.

Il me dit d'y aller et la police avisera. Je pense qu'il ne veut pas me contrarier davantage. Il voit que je le suis déjà. Je l'embrasse et repars, direction le commissariat.

Je rentre à l'intérieur et je vois un agent à l'accueil, je me dirige donc vers lui.

« Bonjour, Madame. Que puis-je faire pour vous ? »

Je commence à lui expliquer et il me demande d'attendre, il va m'envoyer un supérieur. J'attends, j'ai l'impression que ça prend des heures. Tout d'un coup, un monsieur arrive et me dit de le suivre dans son bureau. Je lui réexplique tout dans les détails. Il tape tout ce que je lui dis sur un ordinateur et il me dit :

« Oui, je vois de quelle affaire il s'agit. C'est mon collègue qui n'est pas là aujourd'hui qui s'en est occupé. Revenez demain en fin de journée, il sera là. »

Je le remercie et rentre à la maison heureuse que cet agent m'ait prise au sérieux.

Je prépare le dîner, ce sera pâte bolognaise, Franck adore ça ! Je m'installe dans le canapé en l'attendant et lorsqu'il rentre, je lui raconte tout. Je suis trop fière de lui dire qu'il avait tort, que la police a été intéressée. Il est content pour moi. Nous dînons en nous racontant nos journées respectives. Il est heureux d'apprendre que ma classe est parfaite comme quasi tous les ans. En ce qui me concerne, je suis ravie d'apprendre qu'il a réussi à sauver le chat qui avait été renversé par une voiture. Il était mal en point depuis 2 jours, il m'en avait déjà parlé. Quel bonheur de sauver des vies ! Nous regardons ensuite la télévision et je vais me coucher un peu avant lui, car en ce moment j'enchaîne les insomnies. Du coup, dès que je sens que la fatigue arrive, j'en profite pour aller au lit et dormir. Même si c'est souvent pour très peu de temps, c'est déjà ça de gagné ! J'en profite car lorsque le bébé sera là, le rythme ne va pas être le même.

La journée suivante se passe très bien, quelques enfants pleurent lors du départ de leurs parents. Heureusement, ça passe très vite ! Nous apprenons une chanson, « Au clair de la lune », un grand classique. Je leur demande de dessiner leurs vacances. Du coup, je me retrouve avec des dessins pleins de bleu pour la mer et de jaune pour le soleil, j'adore. Je range toute la classe avec l'aide de Léna. On travaille ensemble depuis 3 ans déjà, elle est adorable. Malheureusement, c'est sa dernière année ; elle va déménager ce qui m'attriste beaucoup. Mais bon, elle vient de se marier et elle suit son époux. En parlant de mariage, je pense au mien qui sera dans quatre ans, je n'en reviens toujours pas. Je regarde l'heure et je vois qu'il faut que je parte vite. Je lui dis au revoir et je file en direction du commissariat. En arrivant, j'aperçois en effet un monsieur que je reconnais tout de suite. C'est bien lui qui m'avait interrogé il y a 10 ans. Il me fait signe de le suivre et nous entrons dans une grande pièce.

« Je me souviens bien de vous, Madame », me dit-il.

Je lui réponds que moi aussi. Il me demande pourquoi je reviens maintenant ? Je lui explique que j'ai vu une personne deux fois qui ressemble énormément à Leslie. Je lui dis également que je n'ai pas encore pu lui parler. En effet, le temps que j'arrive à sa hauteur, elle n'est plus là. Il me demande ce qui me fait dire que c'est elle, je lui réponds que je le ressens du plus profond de moi. Je trouve aussi que cette personne lui ressemble. Je lui parle de la dernière fois que je l'ai vue.

« Elle est sortie d'un magasin, il y a forcément des caméras dans la rue, il faut regarder et vite ! ».

Il me dit qu'il va faire le nécessaire et qu'il reviendra vers moi. Je retrouve le sourire d'un coup :

« Je ne vous promets rien mais je vais essayer. »

Il me demande également toutes mes coordonnées. Il ne sait pas combien de temps ça va lui prendre. Il a d'autres affaires à traiter ; qui sont tout autant importantes. Je lui dis de prendre son temps et je le remercie. Je pars ensuite à la clinique vétérinaire, car il est bientôt 19 h. Je vais donc tenter ma chance, si jamais Franck termine plutôt, de lui proposer d'aller au restaurant. Je rentre à l'intérieur et il n'y a plus personne, mais je l'entends parler avec une patiente. Je décide donc de l'attendre sagement dans la salle d'attente. Quelques minutes plus tard, il la raccompagne à la sortie. En passant devant moi, il me fait un clin d'œil pour me faire signe que je peux rentrer dans sa pièce. Je m'exécute et quand il revient ; il me dit :

« Tu tombes bien, je t'invite à dîner dehors, j'en ai très envie. »

Je lui dis que je passais justement pour lui proposer la même chose, il sourit et m'embrasse. Il doit d'abord tout ranger avant ; je l'attends sagement.

Une fois prêts, nous partons en direction du même restaurant que la dernière fois ; nous l'avions beaucoup aimé. En arrivant, je me rends compte qu'il a déjà réservé. Nous sommes à la même table que l'autre soir. Je préfère me mettre dos à la rue pour ne pas être perturbée par les gens et m'imaginer encore la revoir. Je préfère avoir vue sur l'homme que j'aime. Le dîner se passe très bien, on parle de tout et de rien, on se tient la main entre les plats, c'est le bonheur ! Franck paye et on part en direction de la maison. Nous marchons main dans la main. Au loin je revois cette même femme qui regarde dans notre direction. Mais là, elle vient vers nous, puis part en courant d'un coup dans une autre direction. Je n'y comprends plus rien !

VI

Mon téléphone sonne alors que je suis en pleine classe donc impossible de répondre. Je vois pourtant s'afficher « Commissariat », mais pas le choix, je dois attendre la récréation pour écouter le message que je vois déjà clignoter. Nous chantons tous la petite chanson que nous avons apprise il y a quelques jours. Maintenant, je leur lis une histoire pour les calmer avant la cantine. Afin qu'ils écoutent bien le personnel de restauration. La cloche sonne, Léna emmène les enfants qui mangent à la cantine au réfectoire. De mon côté, je dois attendre que les parents viennent récupérer les enfants qui rentrent à la maison. Il n'y en a pas beaucoup, donc ça va être rapide. Me voilà enfin seule dans ma classe, prête pour écouter ce message tant attendu.

« Bonjour, Madame. J'ai regardé, comme je vous l'avais promis, la caméra qui se trouve en face du magasin dont vous m'avez parlé. À l'horaire indiqué. Il y a bien une femme qui rentre et part rapidement. J'ai réussi à la suivre un moment grâce aux caméras de la rue, je me suis aperçu qu'elle montait dans un bus. C'est pour cela qu'elle devait courir, mais j'ai quand même réussi à faire une capture de son visage. En revanche, il ne me dit rien par rapport aux photos que j'avais vues il y a dix ans.

Vous pourrez passer me voir à la fin de votre journée, je termine tard ce soir. Bonne journée ».

Je ne sais pas si je dois être contente ou pas, car je n'ai pas plus de renseignements que ça à part la capture que je vais d'ailleurs aller chercher maintenant. Une fois dans la rue, je vais m'acheter un sandwich et me voilà partie en direction du commissariat. J'ouvre la porte, le Capitaine me voit au loin, il vient à ma rencontre. Il me montre la fameuse capture d'écran. En effet, elle n'est pas nette mais je reste malgré tout sur mon idée, c'est bien Leslie. Lui, en revanche, est plutôt dubitatif. Il me dit même de laisser tomber cette piste, car il trouve que la forme du visage est différente. En effet, il n'a peut-être pas tort mais au fond de moi, je continue à y croire.

« J'enverrais quand même la photo à ses parents pour voir ce qu'ils en pensent eux », lui dis-je.

« Faites comme vous voulez, Madame, mais je pense que vous faites erreur, malheureusement ».

Je le remercie et repars finir ma journée de classe avec mes petits poussins comme j'aime appeler mes élèves. Une fois dans la classe, j'envoie un mail aux parents de Leslie en scannant la photo, j'aimerais quand même avoir leurs avis. Les enfants sont tous de retour, Léna part les installer à la sieste qui est de 13h30 à 14h30. Pendant ce temps, je prépare l'activité que nous ferons après. Ça sera peinture, je pose sur la table des petits pots de couleurs identiques, afin d'éviter les disputes. Durant la sieste, mon portable vibre, c'est un SMS des parents de Leslie qui disent :

« C'est vrai que la forme du visage n'est pas la même, mais la photo n'est pas nette donc c'est difficile de bien voir ; ça pourrait être elle, mais pour le moment, rien ne peut l'affirmer. Ne lâche pas l'affaire et si tu as besoin, on peut venir t'aider. »

Je leur réponds tout de suite que je compte bien retourner voir le policier pour lui demander de voir à quelle station elle est descendue. S'il y a moyen de trouver cela en suivant le bus avec les différentes caméras publiques. Je les remercie de m'avoir répondu et leur dit que pour le moment, j'arrive à me débrouiller seule. Les enfants sont de retour et commencent à peindre, je leur dis de dessiner un animal. Je sens que je vais avoir des taches colorées dans tous les sens. J'aime voir leurs imaginations travailler. Le plaisir de leur demander ce que ça représente pour l'écrire sur le dessin. La journée est terminée, je prends la direction de la maison.

Sur le chemin, je téléphone au capitaine et je lui raconte ma conversation par messages avec les parents de Leslie, il reconnaît que la photo est floue. Je lui demande alors si c'est faisable de suivre le bus avec les caméras pour arriver à voir à quelle station elle est descendue. Il me confirme que c'est possible. En revanche, il me prévient que ça va prendre au moins une semaine. J'accepte, de toute façon ; je ne suis plus à quelques jours près. Il me communique déjà le numéro du bus, c'est le 124. Je le remercie et raccroche. Je ne perds pas espoir de recroiser cette femme, car le magasin dans lequel je l'ai vu est juste en face de l'école. Il est donc possible qu'elle habite le quartier mais pas certains du tout, vu qu'elle est partie en bus. Affaire à suivre !

Dans quelques jours, nous allons connaître le sexe du bébé, j'ai tellement hâte. Le médecin va mettre le tout dans une enveloppe afin que nous puissions faire une grande fête pour l'annoncer. Je décide donc de téléphoner à Floriane pour lui proposer de tout organiser. Elle est devenue « organisatrice d'évènement ». Elle va nous aider aussi pour notre mariage. Elle décroche à la deuxième sonnerie, je lui explique tout ce que je veux faire pour cette superbe annonce. Elle accepte immédiatement. Du coup, elle va séjourner à la maison durant un certain temps. Nous avons une grande chambre d'amis, donc pas de soucis. On parlera aussi de l'affaire « Leslie, » on pourra se soutenir et surtout se comprendre. Je sais que Franck commence à en avoir marre, il ne me le dit pas pour pas me faire de la peine. Je raccroche le téléphone et me mets à préparer le dîner. Franck rentre vers 20 h, comme toujours. On dîne et je lui annonce que Floriane arrive dans quelques jours. Je lui rajoute qu'elle va rester à la maison quelque temps pour organiser la fête. Elle va aussi m'aider dans mes recherches concernant Leslie. Je lui raconte également ce que le capitaine et les parents de cette dernière m'ont dit. Il m'écoute attentivement et lui aussi trouve cette photo pas nette.

« Si ses parents te disent de continuer, fais-le ; et puis la présence de Floriane va t'aider plus que moi. Elle a déjà vu Leslie et était là au moment où elle a disparu », me dit-il.

Je le remercie de me faire confiance et je l'embrasse !

Le week-end est enfin là ! Je vais profiter du beau temps pour aller me promener et m'acheter des vêtements de grossesse. Malheureusement, Franck travaille aujourd'hui. Je vais donc y aller seule, mais ce n'est pas grave, ça va tout de même me faire du bien. Je commence à me préparer et à ce moment-là, Franck rentre et me dit :

« Tu vas faire quoi aujourd'hui ? »

Je lui annonce tout ce que je veux faire et sa réponse me laisse sans voix :

« OK, alors partons vers 10 h, on mangera au restaurant. »

Je le regarde avec un air bête et là, il me sourit en me disant :

« Je ne suis pas de garde ce samedi. »

J'ai oublié que ce n'est pas tous les samedis, mais quelle idiote ! Je l'embrasse et pars me préparer.

Nous partons ensuite en direction du Polygone, un super centre commercial situé à Montpellier. Il y a plein de boutiques géniales, on va passer une super journée, j'ai hâte ! On rentre dans le centre et je commence à chercher les magasins de vêtements qui font aussi des modèles de grossesse. Malheureusement ; il n'y en a pas beaucoup, mais j'ai tout de même réussi à en trouver un peu. Je m'achète aussi de belles robes longues qui, elles, ne sont pas pour femme enceinte. Je pourrai toujours les mettre, même une fois que j'aurai accouché. On se dirige ensuite vers la Fnac, car Franck veut regarder les téléphones portables, il voudrait changer le sien. Nous allons déjeuner en amoureux, c'est très sympa et bon. L'après-midi passe trop vite, je me suis trouvé des chaussures, un sac et des vêtements de grossesse trop beaux. Franck a trouvé son nouveau portable, donc il est ravi aussi ! Nous voilà en chemin pour rentrer chez nous. Nous prenons une glace, car il fait très chaud aujourd'hui. Nous rentrons à la maison aux alentours de 18 h. Je vais directement prendre un bain moussant, j'ai besoin de me détendre les muscles après cette longue journée de marche. Pendant ce temps, Franck prépare le dîner afin que l'on puisse manger tranquillement avant que le film commence. Nous passons un merveilleux week-end. La semaine qui arrive va être riche en émotion, Floriane arrive mercredi. J'ai tellement hâte de la revoir ! Vendredi en fin de journée, nous allons faire l'échographie du sexe, trop impatiente !

Lundi et mardi sont vite passés. Ça y est ; c'est le grand jour ! Je vais retrouver Floriane, j'ai tellement hâte, on essaye de se voir au moins deux fois par an. Mais là, nous ne nous étions pas vues depuis un moment. Je pars la chercher à la gare. Quel plaisir de la voir enfin descendre du train. Je cours vers elle et on se serre dans les bras, elle touche mon ventre.

Nous passons à l'appartement afin qu'elle puisse poser ses valises. Nous ressortons immédiatement pour aller prendre un verre. Je lui raconte ce que j'ai découvert ces dernières semaines, je lui montre la photo de la fameuse jeune femme. Elle croit la reconnaître, mais pareil, elle ne peut pas l'affirmer. Elle me rassure et me dit qu'elle ne partira pas tant qu'il n'y aura pas de réponses, positives ou pas. Il faut que l'on sache cette fois-ci et pas attendre encore dix ans. Je lui souris et nous continuons de papoter. Elle me raconte les dernières choses qui se sont passées dans sa vie ces derniers mois. Nous décidons de déjeuner dehors, une bonne salade. Du coup, nous restons là où nous sommes déjà installées, car ça a l'air très bien. Nous sommes en train de manger lorsque Floriane me dit : « Attends ». Elle se lève et part en courant, j'essaye de la suivre du regard, mais je ne vois pas où elle se dirige. Elle revient après et me dit qu'elle a aperçu la fille de la photo, mais qu'elle s'est comme évaporée lorsqu'elle était presque à sa hauteur. C'est de la folie quand même ! Elle a tout de même entendu une petite fille d'environ 9 ans crier « maman ». Je trouve ça dingue qu'elle ait une fille si c'est elle bien évidemment. Mais après en y réfléchissant, je me dis que c'est peut-être pour ça qu'elle a disparu subitement. Elle a peut-être appris sa grossesse et a flippé de le dire à ses parents. Je me souviens qu'ils étaient très stricts donc je n'imagine même pas s'ils avaient appris cette nouvelle. Je pense qu'elle en aurait pris pour son grade. La connaissant, elle ne m'en aurait pas parlé non plus de peur que je leur en parle. C'est vrai que ça peut coller, mais ce qui n'est pas logique, c'est de fuir maintenant alors qu'elle sait très bien que ses parents n'attendent qu'une chose : la revoir. Ils accepteraient tout, du moment qu'elle est en vie.

« En effet, elle aurait pu avoir peur d'en parler », dis-je à Floriane.

J'ai une piste supplémentaire si c'est bien elle, évidemment. Avant de prendre sa douche, elle avait dû faire un test qui s'était avéré positif. Prise de panique, la première solution qu'elle a trouvée a été de fuir !

« Pourquoi encore dix ans après ? » me demande Floriane.

« C'est ce que je me demande aussi, elle a peut-être honte de revenir ou peur », lui répondis-je.

En tout cas, je suis heureuse que Floriane ait réagi aussi vite pour essayer de l'attraper. Grâce à elle, on a un semblant de réponse, si c'est bien elle !

En revanche, je ne compte pas en parler à ses parents pour le moment. Premièrement, je ne suis pas sûre que ce soit bien elle. Deuxièmement, ça ne serait pas à moi de leur annoncer la nouvelle. Cependant, j'envoie un mail au Capitaine pour lui expliquer tout et pareil je lui demande aussi de ne rien dire à sa famille. Je suis en train de me dire que si sa fille a environ 9 ans, elle doit être en CM1 ou fin de CE2. Je vais déjà me renseigner auprès de la directrice de mon école afin de savoir s'il y a une petite fille qui porte comme nom de famille « Dupuis ».

Jeudi arrive enfin, je vais voir la directrice, et lui raconte mon histoire. C'est une femme adorable donc elle me répond très vite, m'annonçant qu'il n'y a aucun enfant avec ce nom de famille là.

« Votre amie a pu se marier et la petite a pu être adoptée par son beau-père », me dit-elle.

Effectivement c'est une possibilité, j'y avais pensé. Je n'ai donc plus qu'à surveiller la sortie des classes de CM1 et CE2. Sachant qu'ils sortent en même temps que ma classe, enfin à dix minutes près, ça va être compliqué. Heureusement que Floriane est là pour m'aider. En plus, elle a vu la petite fille, donc ça va être plus facile. Nous commencerons à faire ça dès la semaine prochaine, il faut que l'on établisse un plan pour être discrètes. Parce qu'il y a tout de même un souci important ; Leslie connaît Floriane. Il faut donc trouver un moyen pour qu'elle ne la repère pas. La journée me semble longue, j'ai tellement hâte d'être à demain. Je suis remplacée à l'école, car c'est l'échographie pour savoir le sexe. Je me suis arrangée pour ne pas travailler ce jour-là afin de profiter à fond de la journée. Floriane vient me chercher, nous rentrons à la maison et on discute de la fête. Elle aura lieu dimanche. Je ne peux pas attendre trop longtemps non plus. À l'occasion, nous serons entourés de nos familles et quelques amis proches. Nous voulions être en petit comité. Floriane me montre toute la décoration qu'elle a achetée, c'est canon. Elle va aller tout préparer samedi, dans un endroit qu'elle a trouvé et que je découvrirai dimanche. C'est un cadeau de naissance de sa part, ça me touche beaucoup. Lorsque Franck rentre, on lui montre toutes les décos. Il craque et est même ému. On lui raconte aussi tout au sujet de Leslie, car on ne l'a pas encore fait. Il n'en revient pas de cette histoire d'enfant. Il nous dit :

« Effectivement, étant adolescente ; elle aurait pu prendre peur et décider de fuir. »

VII

Et voilà, le grand jour est arrivé, nous allons avec Franck faire l'échographie. Je suis dans un état d'excitation maximale alors que lui est calme comme toujours. On prend la voiture pour y aller, c'est un peu loin dans Montpellier. En arrivant, la secrétaire me demande mes derniers résultats sanguins pour qu'elle puisse les communiquer au gynécologue. Elle nous invite à patienter dans la salle d'attente. Il y a beaucoup de monde comme toujours, on va sûrement attendre un bon bout de temps. Environ une heure après, le Docteur entre et nous demande de le suivre. Je prends place et il commence l'échographie. Au moment de la révélation, je lui demande de ne rien nous dire. Je lui donne une feuille pour qu'il le note dessus. Franck la récupère et la met dans une enveloppe qu'il range dans mon sac. Il nous confirme que bébé va très bien, il est dans la courbe et grandit bien. Il vérifie les analyses et voit aussi que tout va bien de mon côté. Nous sortons donc heureux de ce rendez-vous. Une fois à la maison, je donne immédiatement l'enveloppe à Floriane pour ne pas être tentée de l'ouvrir. Elle va pouvoir tout organiser. Nous déjeunons tous les trois à la maison. Mine de rien ça m'a fatiguée, ce moment fut riche en émotion. Floriane me propose d'aller au cinéma un peu plus tard pour me changer les idées. Elle partira ensuite direction la surprise. J'accepte avec plaisir. En attendant, je vais aller me reposer un peu. Je me suis réveillée tôt ce matin, de peur de louper le fameux rendez-vous. Une fois ma sieste terminée, je me prépare un thé. Nous partons ensuite en direction du cinéma. Nous sommes entre filles, car Franck a juste pris sa matinée pour l'échographie. Une fois la séance finie, Floriane me ramène à la maison. Elle repart immédiatement, je ne la reverrai pas avant dimanche.

J'ai envie d'une bonne raclette, je pars au supermarché acheter ce qu'il faut sachant que je ne peux pas manger de la charcuterie et du fromage au lait cru. J'ai tout de même réussi à trouver mon bonheur. Une fois rentrée, je commence à faire cuire les pommes de terre. Lorsque Franck rentre, il est ravi de mon choix de repas. Il a justement froid et très faim ! Nous dînons tout en parlant de la fête qui approche à grands pas. Nous nous mettons à faire des pronostics concernant le sexe de notre bébé. Je pense à un petit garçon et lui une petite fille. On verra qui aura raison, les paris sont ouverts ! La journée de samedi, je la passe à me reposer. Franck travaille toute la journée. Le soir, nous mangeons une pizza devant la TV, j'adore ce genre de soirée !

Nous voilà dimanche, je me lève tôt pour me préparer. J'ai acheté une robe de grossesse spéciale pour l'occasion. Je me maquille et me coiffe. Mon chéri est beau comme toujours, mais encore plus que d'habitude. Floriane lui a envoyé l'adresse, c'est à La Grande-Motte dans une salle réservée. Une fois sur place, nous avançons jusqu'à l'intérieur qui est magnifiquement décorés. C'est juste sublime ce qu'elle a fait. Je vais lui dire sans attendre. Les invités doivent mettre un bracelet bleu ou rose suivant leurs idées. Personnellement, je prends un bleu et Franck un rose, désaccord total ! Nous allons boire un coup. De loin, j'aperçois le gros ballon que nous allons percer d'ici quelques minutes, j'ai hâte !

Le moment tant attendu va avoir lieu, nous avons une aiguille à la main prêts à percer ce ballon. Tout le monde fait un décompte et à zéro, on éclate tout. Et là, je vois du bleu jaillir de partout. Je hurle de joie, car c'est ce que je voulais. Franck pleure et vient m'embrasser. Après la révélation, on décide de profiter à fond de la journée, en plus de ça il fait beau. Il y a une piscine intérieure ; Floriane est maline, elle avait pris mon maillot de bain en cachette avant de partir. Dans quelques jours, les vacances de la Toussaint vont commencer. J'ai vraiment hâte, car nous allons partir une semaine Floriane et moi près du camp de vacances où nous étions ce fameux été.

Heureusement, pour une fois la semaine est vite passée. Nous partons lundi matin en direction de La Grande-Motte. Certes, ce n'est pas loin de chez nous, mais ça va tout de même nous faire du bien de changer d'air. Nous avons pris une location jusqu'à samedi prochain. Nous voulons être entre filles pour parler de nos plans pour savoir si la petite est bien dans mon école ou non. Je pense que oui ayant déjà aperçu cette femme plusieurs fois pas loin de l'école. Floriane me dit qu'elle a repéré un endroit où elle pourrait surveiller sans être vue. C'est dans la petite ruelle en face, en effet c'est à tenter. Je lui parle aussi du café en face au cas où un jour il pleuve. Elle m'informe que mon idée n'est pas mauvaise mais elle peut être dangereuse. En effet, en cas de pluie, cette femme peut décider de se mettre à l'abri en rentrant dans le café. Et là, ça serait catastrophique ! Il faut vraiment que j'arrive à lui parler, je peux déjà passer par la maîtresse. Nous voilà enfin arrivées ! Nous récupérons les clés afin de déposer nos valises. Nous partons ensuite en direction de l'endroit où il y avait le camp de vacances. Tous les souvenirs vont sûrement revenir. Mais à notre grand désespoir, il n'existe plus ! Il a été remplacé par des cours de tennis et une piscine. Impossible de se remémorer quoique ce soit, car tout a littéralement changé. Nous sommes dégoûtées. Nous allons boire un verre à l'intérieur d'un café. Il y a une belle vue sur la piscine qui est bâchée, vu que nous sommes en automne. Nous nous détendons et continuons de réfléchir à ce que nous allons faire tout au long de ce séjour. Le soir même, nous allons dîner sur le port dans un restaurant que nous adorons. Il n'est pas donné, mais une fois de temps en temps, ça fait du bien. Floriane m'a fait la surprise d'inviter Franck pour la soirée. Je cours alors vers lui pour l'embrasser. Nous nous installons pour manger. Nous racontons à Franck notre journée. On l'informe que le camp de vacances n'existe plus. Il nous raconte également la sienne. Il a soigné un perroquet et un serpent ce qui lui arrive rarement. Il a eu du fil à retordre avec le serpent, mais son assistante l'a bien aidé. Ils ont quand même eu une belle frayeur ! Je ne sais pas comment il fait, je n'aurais pas pu être vétérinaire à cause de certains animaux justement. La soirée s'achève, il nous ramène à notre location. Nous lui faisons faire un tour de l'appartement ; il le trouve sympa. Il me dit qu'il arrivera vendredi matin pour le week-end. Il a finalement prolongé la location jusqu'à dimanche matin et nous serons que tous les deux. Floriane rentrera plus tôt chez nous afin de nous laisser profiter en amoureux. Je le raccompagne à sa voiture et l'embrasse.

Toute la semaine a été magique, nous avons été au restaurant plusieurs fois, nous avons fait de belles promenades sur la plage, c'était merveilleux !

Nous voilà déjà vendredi, le temps est passé tellement vite. Nous devons commencer à ranger et nettoyer. Nous nous y mettons tôt pour pouvoir profiter au maximum du reste de la journée. Une fois tout terminé, nous partons pour tout l'après-midi. Le soir, nous rejoignons mon chéri au restaurant, il est déjà installé. Nous passons une bonne soirée, ça fait du bien de rigoler. Ensuite nous rentrons nous coucher, car le lendemain, on doit se lever tôt. Floriane part vers 7 h parce qu'elle a des choses à faire à Montpellier mais aussi pour nous laisser tous les deux.

Nous avons passé un super week-end en amoureux. J'ai adoré les promenades sur la plage main dans la main et les petits restaurants. Nous sommes déjà sur le chemin du retour, car ça y est, le boulot reprend demain. J'ai tellement hâte d'y être. C'est aussi le premier jour de « planque » de Floriane à la sortie des classes. Le chemin du retour me semble durer une éternité. Nous prenons un fast food en drive que nous mangeons une fois rentrés à la maison. La soirée se passe tranquillement, je vais me coucher aux alentours de 22 h. Je suis en train de me demander, comment ça se fait que je vois Leslie partout maintenant. Pourquoi, ça ne me l'a jamais fait avant ? C'est un peu comme si elle voulait qu'on la retrouve enfin ! Je me pose sur l'oreiller et m'endors rapidement.

Et voilà, nous sommes lundi, jour de la rentrée dans la joie et la bonne humeur. La matinée se passe vraiment bien, les enfants sont sages ! Durant l'heure de la sieste, je commence à préparer l'activité qui va être sur le thème de Noël. Ils vont devoir réaliser une belle boule pour accrocher au sapin. Chaque année, les parents sont ravis. En effet, je le fais faire tous les ans et à chaque fois c'est un grand succès !

Une fois réveillés, les enfants commencent et ont l'air de bien aimer. Évidemment on ne va pas tout faire aujourd'hui. Je les fais débuter maintenant, car c'est assez long à réaliser. Il faut que ce soit terminé avant les vacances de Noël. C'est bon, la fin de journée est enfin là, la cloche sonne. Je sens mon cœur battre fort, car je sais que Floriane surveille au cas où « Leslie » serait dehors. J'aimerais vraiment qu'elle la voie, mais je pense tout de même qu'il y a peu de chance. En plus de ça, dans le quartier il y a plein d'écoles donc rien ne prouve que sa fille ne soit pas dans une autre. Je décide d'attendre 17 h 15 pour sortir histoire de pas me faire voir au cas où. Pendant que je range la classe, je reçois un appel de Floriane. Je réponds et elle me dit qu'elle a vu la petite fille en question partir avec une dame qui vient la récupérer ainsi que d'autres enfants. Elle me dit qu'elle va la suivre discrètement pour voir où elle habite. Quelqu'un va forcément aller chercher la petite fille. Elle me rappelle pour me tenir au courant ; elle raccroche. Je décide d'aller boire un verre au café en face de l'école. J'envoie un texto à Floriane pour qu'elle m'y rejoigne quand elle aura repéré l'adresse. Elle revient peu de temps après, la nounou habite une rue derrière à 10 min à pied. Elle me conseille de rentrer chez moi. Elle de son côté, elle va attendre que quelqu'un vienne chercher la petite. Elle va bien voir sortir une personne avec l'enfant. Je la remercie beaucoup et pars en direction de la maison, stressée et excitée à la fois. On approche de plus en plus du but en espérant que ce soit bien elle. Je vois les heures défiler. Je n'ai même pas commencé à préparer le dîner. Je suis trop stressée et surtout j'ai le cœur qui bat comme jamais. Il est 20 h lorsque Franck rentre, je lui explique ce qu'il se passe. Il me propose d'aller au restaurant avec Floriane si elle a une bonne nouvelle. J'accepte et nous attendons tous les deux dans le canapé, main dans la main.

Tout d'un coup, l'interphone sonne, je pars vite ouvrir. C'est Floriane qui revient enfin. Elle nous explique qu'elle a vu la petite sortir avec une dame âgée, elle est donc allée lui parler. C'est sa grand-mère paternelle, elle ne connaît pas de Leslie. La maman de l'enfant s'appelle Jenifer. Soit c'est la mauvaise personne, soit elle a changé d'identité. A priori, demain c'est sa mère qui va venir la chercher donc on sera définitivement fixé à ce moment-là. J'irai avec Floriane, car j'aurai forcément plus de facilité à la reconnaître. Je la connaissais depuis plus longtemps qu'elle. Même si ça faisait tout juste une année que je l'avais rencontrée quand elle a disparu. On avait tissé tout de suite une forte amitié comme si nous nous connaissions depuis des années, c'est fou !

Floriane confirme que ma présence sera plus pratique.

VIII

Le lendemain soir, nous allons donc devant l'immeuble de la nounou attendre la maman de la petite. En effet, ce n'est pas du tout Leslie. Floriane est déçue pour moi, je la rassure en lui disant qu'elle ne pouvait pas savoir à qui la petite fille s'adressait quand elle a crié « maman ». Nous voilà donc reparties à zéro, je suis encore une fois déçue. Je ne compte pas lâcher l'affaire. Je vois bien que Floriane est ennuyée. Je la rassure en lui disant que même moi j'aurais pu commettre cette erreur. En attendant, nous n'avons plus aucune piste à exploiter. Malheureusement, Floriane part en début de semaine prochaine. Nous sommes déjà mardi, ça va passer vite. Mon téléphone sonne aux alentours de 20 h, je décroche. C'est la maman de Leslie qui me dit que son mari a effectué des recherches à la suite de mon dernier appel. Il a trouvé une Leslie Dupuis près de Montpellier. Elle me donne les coordonnées pour que je m'y rende dès que je pourrais. Je la remercie en lui disant que je la tiendrai au courant et je raccroche. Je suis contente qu'elle m'ait téléphoné un mardi soir, car ne travaillant pas le mercredi, je vais y aller dès demain avec Floriane. Nous avons décidé de passer la journée là-bas, j'ai trouvé sur internet une brasserie pas loin de l'adresse en question donc on pourra y aller déjeuner et ensuite on se promènera dans les magasins au cas où on la croise.

Nous voilà mercredi matin, après une bonne nuit de sommeil, nous partons direction l'adresse en question. Floriane prend le volant, car nous devons aller plus loin dans Montpellier. En arrivant, on a un peu galéré à trouver de la place, mais on a quand même fini par nous garer. Nous nous promenons dans le quartier, c'est début décembre, donc la plupart des vitrines commence à être décorées. J'ai toujours aimé cette période-là et Leslie aussi d'ailleurs. Nous allions toujours nous promener après les cours pour pouvoir voir toutes ces belles décorations. C'est fou comme je me souviens de tout ce qu'on a fait elle et moi en une année. Lorsque nous nous sommes rencontrées, on avait l'impression de se connaître depuis toujours, comme deux sœurs. Même nos parents n'en revenaient pas. Floriane est en train de me parler, mais je suis tellement dans mes souvenirs que je ne l'entends pas. Elle me fait alors signe :

« Ah désolée, tu disais quoi ? »

Elle rigole et me répète tout. Elle me propose d'aller dans le magasin d'en face, c'est un genre de monoprix, elle peut très bien y être. J'accepte son idée ; nous traversons pour nous y rendre. Il y a vraiment de tout à l'intérieur. Nous faisons tous les rayons en regardant bien, on ne sait jamais. Nous achetons quelques bricoles pour nous. Ensuite, nous nous rendons à la brasserie qui est juste en face de l'immeuble afin d'y déjeuner. Je n'ai pas très faim, car je suis trop stressée. Je me dis que ça peut être un homonyme, dans ce cas on serait en train d'attendre pour rien. Bref, il faut que j'arrête de me poser trop de questions. Le serveur arrive et nous demande ce que nous voulons prendre pour le déjeuner. Je décide de prendre une tartine saumon et avocat avec de la salade verte, j'aime tellement ça ! Tout d'un coup, Floriane se lève et sort du restaurant. Je la vois traverser en courant, j'aperçois au loin cette fille qui est pour moi Leslie.

Elle réussit à l'approcher et à lui parler. Elle revient très rapidement et me dit :

« Ce n'est pas elle. »

Je lui demande alors comment elle peut en être sûre, elle me répond :

« Elle s'appelle bien Leslie Dupuis, mais elle n'est pas Française. Elle m'a montré sa carte d'identité. Il n'y a rien qui correspond, je suis désolée », me dit Floriane attristée.

C'est donc bien un homonyme comme je me doutais plus ou moins. J'ai l'impression que nous cherchons quelqu'un d'introuvable. Est-elle toujours en vie ? Que lui est-il vraiment arrivé ? Tant de questions sans réponses. C'est insoutenable surtout pour ses parents que je viens de prévenir. Il faut absolument que l'on retrouve Loïc, il doit obligatoirement en savoir plus. Nous savons qu'il ne lui a rien fait, mais elle lui a peut-être parlé de quelque chose. Je décide d'appeler le capitaine Luma pour lui demander s'il a un numéro à me communiquer. Il m'en donne un, en me disant que c'est celui d'il y a 10 ans, il peut avoir changé depuis. Vu qu'il s'agit d'un numéro de portable, j'ai espoir qu'il est toujours le même.

Je me décide à l'appeler et je tombe sur sa messagerie. C'est bien toujours son numéro. Je lui dis qui je suis et je lui laisse mes coordonnées en espérant qu'il me rappelle. La journée se termine doucement. Nous rentrons à la maison. Je suis déçue mais tout de même pleine d'espoir grâce à ce numéro. Je pense qu'il sait d'autres choses, plus qu'à espérer qu'il me rappelle.

Il est exactement 21 h 15 lorsque mon téléphone sonne, c'est lui ; c'est Loïc. Je décroche immédiatement. Nous parlons longuement et en effet, il a pu me dire des choses qu'il n'avait pas dites à la police. Sur le coup, je lui en veux un peu de ne pas m'en avoir parlé à l'époque. Il m'explique qu'il ne voulait pas que je me retrouve dans une situation gênante par rapport aux parents de Leslie. Je dois avouer que sur ce point-là, il a eu raison. On décide donc de se voir tous les trois avec Floriane dans deux jours. Le rendez-vous est donné à La Grande-Motte dans un café qui se trouve en face du carrousel, je note tout et je raccroche. J'avais mis le haut-parleur, donc Franck et Floriane ont tout entendu et m'ont souri. On sait très bien que ça peut encore être une fausse piste. Il y a tout de même une légère lueur d'espoir. Les deux jours de boulot vont me sembler interminables. Heureusement que nous sommes en train de fabriquer le cadeau pour Noël et de commencer les décorations. Ce genre de choses me met du baume au cœur et Dieu sait que j'en ai besoin en ce moment. Les enfants ont des étoiles plein les yeux. C'est tellement beau à voir ! Nous chantons même quelques chansons de Noël pour commencer à nous mettre dans l'ambiance. Nous sommes que début décembre mais ce n'est pas grave. Les fêtes approchent à grands pas, j'espère qu'elles seront sublimées par des retrouvailles ou tout au moins une piste.

IX

Nous voilà samedi, nous sommes sur la route pour aller à La Grande-Motte. Nous avons rendez-vous à midi avec Loïc pour déjeuner. Il doit avoir pas mal de choses à dire, car il m'a dit de prévoir du temps. Nous voilà arrivées près du Carrousel. Je le vois, il est déjà installé à une table. Il nous fait signe de venir le rejoindre. Il n'a pas changé, on a l'impression de l'avoir quitté hier. Il me félicite pour ma grossesse. Nous apprenons qu'il est papa d'une petite fille nommée Lila qui a 2 ans. On se raconte vite fait nos vies et puis je dis en riant :

« Revenons à nos moutons ! »

Il sourit et nous demande de bien l'écouter et de réagir juste après. Nous acquiesçons.

Il commence donc à nous expliquer qu'il a bien eu une relation avec Leslie, mais qu'ils n'ont jamais été plus loin. C'est elle qui voulait le faire croire, il n'a jamais su pourquoi. Elle s'est beaucoup confiée à lui durant ce séjour. Il commence à tout nous raconter :

« Elle était amoureuse d'un garçon du même âge que moi à l'époque qui avait donc 26 ans. Elle savait que ses parents seraient contre cette relation. Elle envisageait donc de s'enfuir avec lui. Elle m'avait dit qu'elle le ferait mais une fois rentrée à

Paris. Donc je n'avais pas trop surveillé ses faits et gestes… Si j'avais su, j'aurais été plus vigilant, surtout en tant que moniteur. »

Je le coupe deux minutes pour lui demander si elle lui avait donné des informations sur ce « copain » et il me répond que oui. Il sait qu'il s'appelait Paul, qu'il avait 26 ans donc maintenant 36. Il était animateur dans notre lycée s'il se souvient bien. Je me suis mise à crier, car je vois très bien qui c'est. En effet, Leslie avait des vues sur lui, mais on lui avait dit qu'il pourrait être son grand frère. Elle savait aussi qu'elle se ferait « tuer » par ses parents. A priori, elle en avait fait qu'à sa tête et m'avait bien caché ça. Je me demande maintenant si elle avait vraiment confiance en moi.

« Oui, il était bien animateur au lycée ».

Il nous rajoute qu'il n'en a jamais parlé à la police à cause des multiples coïncidences avec lui. Même métier et âge, la police l'aurait tout de suite suspectée. Je dois avouer qu'à l'époque ça aurait été mon cas aussi. Il a bien fait de ne rien dire. Je lui reproche tout de même de ne pas avoir essayé de me contacter, avant que ce soit moi qui le fasse. Il avait bien eu mes coordonnées et celle des parents de Leslie par le Capitaine Luma ; mais il a préféré tirer un trait sur cette affaire qui l'avait pas mal perturbé. La journée touche à sa fin. Nous avons été vers l'ancien camp de vacances, on a bu un verre et nous sommes repartis chacun de notre côté. Je dois absolument contacter mon lycée pour avoir les coordonnées de Paul. Le souci c'est qu'il n'ouvre pas avant lundi donc je dois encore attendre. J'ai l'impression de ne faire que ça. Nous voilà de retour à la maison avec plein d'informations. Donc je suis plutôt contente d'avoir eu l'idée de contacter Loïc. Si je retrouve Leslie, je ne le remercierai jamais assez.

Nous voilà lundi, ma journée de classe se passe plutôt bien. J'adore les lundis surtout le matin parce que les enfants me racontent leur week-end. Je ne comprends pas toujours tout, mais heureusement, j'ai souvent la réponse à 16 h 30 par les parents, grands-parents ou nounou. Du coup, on rigole bien, car ça ne ressemble jamais à ce qu'ils m'ont dit le matin, à part pour certains qui parlent bien. Il est maintenant 17 h, je décide d'appeler le lycée avant qu'il ferme. Je demande à parler au directeur et je lui explique tout. Il me dit de rappeler demain, on pourra m'aider, car lui est nouveau et n'a pas les documents d'il y a dix ans. Demain, il y aura le surveillant général qui était déjà là à cette époque. Je le remercie et raccroche. Décidément, c'est long ces recherches, j'ai l'impression d'être policière. Ce qui me stresse le plus, c'est que je crains de faire tout ça pour rien. Et qu'on ne la retrouve jamais ou plus en vie. J'essaye de ne pas penser à tout ça. Je reprends le chemin de la maison. Juste avant, je vais au supermarché pour acheter du lait et des œufs, car nous n'en avons plus. Une fois les courses terminées, je rentre pour préparer le dîner. Le soir, je suis allée me coucher très tôt.

Je suis bien fatiguée par cette journée riche en émotion.

Le lendemain, je suis en pleine classe quand mon téléphone vibre, mais impossible de répondre. Heureusement j'entends un bip pour prévenir d'un message vocal, je n'ai jamais autant attendu une récréation que là. Pendant que les enfants jouent dehors, je commence à écouter le message. C'est le surveillant général, on lui a raconté toute l'histoire. Il me communique le numéro de portable de Paul. En me prévenant, que c'est sûrement un vieux numéro. Je le rappelle quand même pour le remercier. Je téléphone sur les coups de 19 h et ça décroche tout de suite. Ce n'est plus le bon numéro, c'est une autre personne.

Mais heureusement, le surveillant m'a donné le nom de famille de Paul, j'ai donc cherché sur internet jusqu'à tomber sur son profil Facebook. Je l'ai reconnu tout de suite, mais son compte est en privé donc impossible de voir quoi que ce soit. Je me décide donc à lui envoyer un message privé pour lui raconter tout. Je prie pour avoir une réponse rapide, mais ce n'est pas gagné. Je ne sais même pas si Leslie est toujours avec lui ou si Loïc a bien compris. Il m'a répondu très vite me disant qu'il n'est jamais sorti avec des étudiantes, qu'il y a erreur sur la personne. Il ne voit même pas qui est Leslie, il avait l'air sincère. Je le remercie et je lâche l'affaire. Je me dis quand même ; qu'il est possible qu'il ne me dise pas la vérité. En effet, n'ayant pas le droit de sortir avec une élève, il peut très bien ne pas vouloir tout m'avouer. Mais je ne sais pas pourquoi, je l'ai cru, sa voix était sincère au téléphone. Je me retrouve à nouveau sans aucune piste. J'ai vérifié toutes celles possibles. Je me demande si Loïc ne m'aurait pas menti. Est-ce que la petite Lila ne serait pas la fille qu'il a eue avec Leslie ? Il faut que j'arrête de me prendre la tête avec tout ça. Floriane me dit qu'il faut oublier Loïc, ce n'est pas lui du tout, il faut que l'on cherche ailleurs. Ailleurs ? Mais où exactement ? Je n'ai pas de réponse justement, j'ai épuisé toutes les possibilités. J'essaye de me remémorer tous les moments que j'ai passés avec elle. On ne sait jamais, je pourrai me souvenir de quelque chose. Mais non, rien ne me revient du tout. Je commence à me demander si elle ne serait pas morte. Sinon, elle aurait disparu d'elle-même sans aucune raison, mais ça semblait tellement illogique. Elle avait une vie merveilleuse, elle avait des parents adorables. Elle n'avait donc aucune raison de fuir.

Tout d'un coup, je me rappelle qu'elle voulait devenir professeur de danse. Je tape donc sur internet, son nom et prénom ainsi que « danse ». J'espère que ça va me trouver quelque chose, en vain. Je suis perdue et je ne sais plus quoi faire, j'en suis même arrivée à me demander si elle n'était pas rentrée à Paris. En plus de ça, Floriane repart chez elle dès demain matin. Je vais devoir effectuer les recherches seule maintenant. Franck est bien là mais ce n'est pas la même chose.

Je sais que Floriane m'a dit de laisser tomber concernant Loïc, mais ce qu'il nous a dit me paraît suspect quand même. Je prends donc la décision de le recontacter. Je retourne le voir avec Franck. Nous déjeunons ensemble dehors. Je lui explique que toutes les possibilités pour retrouver Leslie ont été des échecs. Il m'écoute, attristé. À la fin du repas, nous lui annonçons que nous ne pouvons pas rester plus longtemps, car Franck doit aller travailler. Comme nous sommes samedi, il l'a bien évidemment cru. Il repart à pied, nous décidons de le suivre discrètement. On ne veut pas prendre le risque qu'il nous voie. On ne sait pas comment il pourrait réagie. Il récupère son vélo et part en direction du Point zéro. Nous le suivons de loin, mais étant à pied, nous l'avons vite perdu de vue. Nous retournons à notre voiture. Avant de démarrer, je l'appelle pour lui demander où il habite pour que je puisse lui envoyer une clé USB contenant des souvenirs du camp de vacances. Je lui dis que j'ai oublié de lui donner. Il me dit juste qu'il n'en a pas besoin, car il a déjà beaucoup trop de photos de cet été-là. Impossible d'insister sinon il va se poser des questions. Je me souviens qu'il nous a dit à Floriane et moi qu'il bossait. En effet, il travaille dans un bar qui est proche de l'office du tourisme. Comme c'est les vacances de Noël, nous décidons de louer un appartement pour 15 jours. Nous irons au café demain. Le lendemain, nous sommes posés pas loin du seul bar qui correspond à la description qu'il nous avait faite. Pour le moment, il n'ouvre pas, je pars demander à quelqu'un qui me dit qu'il est fermé le dimanche. Je le remercie et nous décidons donc de nous promener dans la ville.

Lundi matin, nous faisons la grâce matinée. Nous avons prévu d'aller devant le bar aux alentours de midi. Nous aurons peut-être plus de chance de le voir à l'heure du service. Nous devons trouver un endroit discret pour pas qu'il puisse nous voir. Nous trouvons un banc qui est éloigné mais qui nous permet tout de même de voir ce qu'il se passe à l'intérieur du café. On va tout de même devoir faire attention à ne pas se faire repérer. Au pire, on s'embrasserait s'il était trop près. Franck le repère, il est bien là. Maintenant, on doit attendre la fin du service pour le suivre, en espérant qu'il soit à pied. Si je me souviens bien, il nous avait dit, à Floriane et moi, qu'il habitait à vingt minutes à pied de son boulot. Aux alentours de 16 h, on le voit mettre son manteau et dire au revoir à tout le monde. Il part dans une rue à droite et monte dans sa voiture. Il m'a donc menti et nous n'avons rien pour le suivre. Nous n'avons plus qu'à le laisser partir. Nous reviendrons demain avec notre voiture en essayant de se garer dans cette rue afin de pouvoir le suivre plus rapidement. Nous allons manger une crêpe sur le port, mais pas dans le bar en question pour ne pas nous faire repérer. Nous sommes ensuite rentrés dans notre location pour nous reposer, dîner et nous coucher. Je suis épuisée de cette journée, je suis sur les nerfs tout le temps. D'ailleurs, je craque et pleure régulièrement en ce moment. Heureusement que Franck est avec moi, car toute seule, je n'aurais pas réussi à me calmer. De toute façon, je ne serais pas venue seule.

Mardi matin, nous partons nous promener au Grau du Roi. Nous retournerons au bar que le mercredi. J'ai besoin de me changer un peu les idées, ça va me faire du bien. Il faut que je décompresse absolument pour ne pas devenir folle. Nous faisons un peu de shopping, on mange là-bas. En fin de journée, nous revenons sur La Grande-motte. J'ai changé d'avis, je veux tout de même retourner au bar. J'ai réussi à convaincre Franck qui était retissent au départ. Je veux tout de même essayer de voir s'il travaille ce soir. Nous prenons donc la direction du port. Il est bien là, en train de servir. On décide d'attendre que le restaurant ferme pour le suivre. Nous sommes garés dans la rue et miracle, lui aussi. Nous le suivons, il part en direction de l'ancien camp de vacances où nous sommes allés. Il habite une belle villa avec piscine, on le voit rentrer chez lui. Malheureusement, on ne peut pas voir à l'intérieur. Avant qu'il referme sa porte, on a entendu une petite voix crier « papa ! » Est-ce qu'il vit seul ? Leslie est-elle avec lui ? Toujours les mêmes questions sans réponses. Nous rentrons, on ne peut rien faire de plus. Le lendemain, nous attendons qu'il parte de chez lui pour aller sonner à la porte. On le voit monter dans sa voiture. Nous allons donc sonner, une dame vient et nous dit qu'elle est nounou ici. Je lui dis :

« Désolée Madame, on s'est trompés de maison. »

Elle nous sourit et referme ensuite. Nous sommes dans une impasse. Nous décidons de nous promener près du café vers la fin du service. Nous ferons mine de le croiser par hasard. Ensuite, on aura plus qu'à espérer qu'il nous propose de venir chez lui ou pas. Nous ferons ça jeudi, demain repos et journée entière en amoureux. La journée de mercredi se déroula très bien. Nous sommes allés manger au restaurant et faire quelques achats. Nous allons ensuite marcher sur la plage, nous passons vraiment une super journée en amoureux. J'ai bien décompressé et je peux même dire que j'ai tout oublié le temps d'une journée. Ça fait d'ailleurs un bien fou. Jeudi, nous passons une journée tranquille. Aux alentours de 21 h, nous partons en direction du bar, car nous avons remarqué que l'autre jour il est parti vers 22 h 30. Ce fut pareil aujourd'hui, nous crions son prénom quand il sort. Il se retourne surpris et nous sourit. On lui demande ce qu'il fait là car nous faisons comme si nous l'avions aperçu en nous promenant. Il nous dit qu'il travaille dans ce café et qu'il vient de terminer sa journée. Il nous propose de passer chez lui. Nous ne voulons pas le déranger. Il insiste en disant que ça ne le dérange pas sinon il ne nous l'aurait pas proposé. Nous montons dans notre voiture et nous le suivons jusqu'à chez lui. Il est seul ce soir, comme par hasard sa compagne et sa fille ne sont pas là. Bon il faut que j'arrête d'être paranoïaque, il ne savait pas que nous allions venir chez lui. Le fait qu'il soit seul, c'est juste une coïncidence. Il y a des photos de sa femme et de sa fille un peu partout. Les deux sont blondes alors que Leslie est brune. Il n'y a vraiment aucune ressemblance possible. J'ai encore fait fausse route. Je suis à la fois heureuse que ça ne soit pas lui. Il est tellement gentil, ça m'aurait étonné. Je suis tout de même déçue car du coup, les recherches repartent à zéro.

X

Pendant ce temps, en Italie, Leslie fait sa vie de son côté.

Je n'ai aucun regret d'avoir tout quitté il y a maintenant bientôt onze ans. Cette vie était devenue invivable pour moi, je ne pouvais pas le dénoncer à la police. Je n'avais donc pas eu d'autre choix que de fuir et ne rien dire à personne. Bien évidemment, Laura me manque et j'aimerais la revoir, mais je ne vais pas craquer maintenant. Oui, j'aurais pu lui en parler à l'époque mais je ne voulais pas la mettre dans l'embarras par rapport à ma famille. Depuis, de l'eau a coulé sous les ponts. Je suis devenue maman d'un petit Julio qui a maintenant 2 ans et je suis amoureuse de Diego. De temps en temps, j'ai envie de retourner à Paris pour revoir cette belle ville, mais j'ai aussi trop de mauvais souvenirs là-bas. De toute façon, ils ne pourront jamais me retrouver. Je fais tout pour les en empêcher. Personne n'aura l'idée d'aller me chercher ici. C'est plus fort que moi, je décroche mon téléphone et l'appelle. Nous avons parlé plusieurs minutes et je l'ai écouté attentivement. J'aime avoir de ses nouvelles, mais lui n'aime pas mentir comme ça sur le lien qu'il a avec moi. C'est mon frère, mais personne ne le sait, car je n'avais jamais dit que j'avais été adoptée. Une fois par mois, j'ai des nouvelles de Laura et ça me fait du bien. Je veux revoir mon frère. Il me propose de venir le voir une semaine cet été, je pourrais venir quand elle sera chez ses parents. Elle doit y aller. J'accepte directement et je raccroche.

J'ai passé de très bonnes fêtes de fin d'année entourée de toute la famille de Diego, ils sont vraiment comme mes propres parents ? J'ai de la chance de les avoir tous rencontrés. À l'époque de ma disparition, j'ai voulu faire croire que j'étais morte pour que personne ne me recherche. J'ai finalement oublié cette idée, pour ne pas rendre malade ma mère adoptive. Une fois, j'aimerais vraiment retourner dans le coin de ce camp de vacances pour me remémorer les souvenirs de l'époque. Le souci c'est que Laura ne vit pas loin et je ne veux pas la croiser. Il faut que j'attende que mon frère l'emmène en vacances quelque part pour le faire en toute tranquillité. Pour le moment, ça reste un rêve. J'ai réussi mon coup en mettant mon frère, Franck sur le chemin de Laura. Je savais qu'ils allaient se plaire. Grâce à mes amis ça a pu se faire. J'ai été tellement heureuse d'apprendre sa grossesse. Je vais devenir tata, mais également la belle-sœur de Laura. Ils vont se marier dans deux ans environ. Malheureusement sans moi, car impossible que je sois présente. Je me ferais voir directement par les parents de Laura. Franck lui a ses parents, enfin les nôtres car ce sont eux qui m'ont abandonné. Pourquoi ? Je ne le saurais sans doute jamais. Je n'ai d'ailleurs jamais compris comment ils avaient pu faire ça. Ce que je ne comprenais pas non plus, c'est pourquoi avoir gardé mon frère. J'étais heureuse pour lui mais je ne comprenais pas. Lui non plus d'ailleurs. Ils ne savent pas ce que j'ai enduré car j'ai interdit à Franck de leur en parler. Pour moi, tout ce qui m'est arrivé est de leur faute. Lorsque je l'ai raconté à Franck, il voulait aller le frapper. J'ai refusé qu'il le fasse. Ayant disparu, mon frère n'aurait eu aucune preuve de ce qu'il racontait. En plus de ça, je n'en ai pas non plus, car il se débrouillait toujours pour que ce soit la nuit quand ma mère dormait ou quand elle n'était pas là.

XI

Les fêtes de Noël sont passées très vite ainsi que le mois de janvier, je n'ai rien vu arriver, c'est fou. Je ne pense plus à Leslie, je ne veux plus me rendre malade avec ça. Je veux me consacrer à ma grossesse et à l'arrivée de ce futur bébé. Il sera là d'ici 4 mois, c'est long et court à la fois. Nous devons commencer à préparer sa chambre, je m'occupe de toute la décoration et sans me vanter, elle est déjà magnifique. Nous arrivons aux vacances d'hiver, nous aimerions aller au ski, mais mon gynécologue ne veut plus que je me déplace. Nous restons donc à la maison. Nous profitons de notre ville en faisant des promenades dans le vieux Montpellier. Nous allons aussi dans les villes des alentours afin de bouger un peu.

Une fois les vacances terminées, le boulot reprend et nous commençons à préparer des cadeaux pour les parents pour Pâques, c'est sympa. Chaque année, je fais faire aux enfants des petits paniers avec quelques chocolats dedans. Comme pour le cadeau de Noël, il faut commencer tôt pour qu'il soit terminé à temps. Il y a des enfants qui le fabriquent rapidement et d'autres non.

XII

Ce mercredi matin, je vais chercher mon courrier comme tous les jours et là, il y a une lettre sans timbre. Elle a donc été déposée directement dans ma boîte aux lettres. Je me demande bien qui l'a écrite, mais c'est noté : « Leslie n'est pas morte, si tu cherches bien tu la retrouveras un jour », ce n'est pas signé rien. Je n'en reviens pas une lettre anonyme ! Est-ce que je vais en recevoir d'autres ? Je ne sais pas, mais je trouve ça marrant, pour le moment. Je décide de ne pas en parler à Franck. De toute façon, c'est toujours moi qui me charge d'aller chercher le courrier. Elle est donc vivante, mais en même temps, j'en ai toujours été certaine, mais je me demande où et comment ? Malheureusement, la lettre ne l'indique pas, c'est juste écrit de bien chercher. Pendant presque un mois, j'ai reçu ce genre de lettres tous les mercredis. La seconde m'indique : « Ne cherche pas en France ». Elle habite donc dans un autre pays. Ça va être encore plus difficile à trouver. Déjà en France, ce n'est pas simple, mais avec la barrière de la langue n'en parlons pas ! La troisième lettre me demande : « Ne dis rien à ses parents, ce ne sont pas des gens bien ». Je ne comprends pas pourquoi, mais de toute façon, je n'ai pas prévu de leur en parler pour pas qu'ils soient déçus si c'est encore une fausse piste. La quatrième et dernière lettre pour le moment m'annonce quelque chose de surréaliste : « Elle a été adoptée par les parents que tu connais. Elle a un frère qui, lui, sait où elle se trouve ». Ça ne m'aide pas, car je ne le connais pas. Donc à moins d'un miracle, c'est impossible de la retrouver. Je me décide à en parler à Franck qui me dit de me méfier de ce genre de bêtises. C'est sûrement quelqu'un qui sait que je la recherche et qui en profite pour s'amuser. Sa réaction ne me plaît pas du tout, je veux être soutenue. Je compte bien en parler à Floriane.

Après cette dernière lettre, je ne reçois plus rien à mon grand désespoir. J'aurais aimé avoir plus d'indices sur son frère. Déjà je n'en reviens pas qu'elle ait été adoptée, je ne l'aurais jamais imaginé j'ai toujours trouvé qu'elle ressemblait à son père.

XIII

De son côté, Franck décide d'appeler sa sœur.

J'entends mon téléphone sonner, je cours vite décrocher. C'est mon frère. Il me crie dessus :

« Pourquoi, tu envoies des lettres à Laura ? »

Je lui demande de se calmer. Ensuite, je lui réponds :

« Je ne ferais jamais une bêtise pareille ! Ces lettres sont timbrées ? » lui demandai-je.

Maintenant que sa sœur lui dit, il se souvient que non. Il me dit alors que j'ai très bien pu demander à quelqu'un de le faire. Je lui assure que non. Il ne me croit pas et me raccroche presqu'au nez.

Je compose immédiatement le numéro de téléphone de Loïc. Il décroche très vite. Je ne lui dis même pas bonjour tellement je suis en colère après lui. Je me lance directement :

« Il faut que tu arrêtes avec les lettres anonymes ! » hurlai-je dans le téléphone.

« Tout le monde se pose des questions sur moi maintenant. »

Il m'assure qu'il a stoppé et ne compte pas en renvoyer sans mon accord. Je lui rappelle qu'il devait en envoyer qu'une. Il ne m'a pas écouté, je lui en veux ! Je raccroche très énervée. Je dois partir chercher mon fils chez la nounou. Je prends ma voiture et pars le récupérer. Il est heureux de me revoir comme à chaque fois. Moi aussi, j'aime retrouver mon bébé. Je rentre chez moi pour lui donner le bain, son repas et le coucher. Ensuite, en attendant mon mari, je me pose dans le canapé. Je me mets à réfléchir à ma vie qui est belle mais triste en même temps. À cause d'un homme pervers, j'ai tout perdu même ma meilleure amie Laura qui me manque terriblement. Je songe parfois à l'appeler pour lui dire que je suis en vie et que tout va bien. Il faut que je me contente juste des nouvelles que me donne mon frère. Je reviendrais un jour, si Laura découvre toute la vérité sur Franck. Tant qu'elle ne se doute de rien, je garde le silence. Cet homme a gâché toute ma vie pour son plaisir à lui. Je ne veux plus jamais le revoir. J'aimerais porter plainte, mais ça sera ma parole contre la sienne. J'ai bien mon carnet secret mais je doute fort qu'il suffise. Je préfère tout oublier même si ce n'est pas facile tous les jours. J'imagine que ça a dû perturber Laura.

J'en ai marre que Loïc n'en fasse toujours qu'à sa tête, une c'est une ! Bref ce n'est pas grave, Franck va essayer de faire diversion, mais connaissant ma Laura, elle ne laissera pas tomber. Ce qui m'énerve c'est qu'il a balancé que je ne suis plus en France. Du coup, ça va devenir compliqué pour elle. Elle sait en plus que j'ai toujours rêvé d'habiter en Italie. En revanche, elle ne connaît pas mon nom de femme mariée. Je suis donc sauvée. Quoique pas forcément, car je crois que l'on peut me retrouver avec mon nom de jeune fille. C'est vrai que mon départ a été brutal, mais les vacances allaient être terminées et je ne voulais pas rentrer. Le seul moyen c'était de partir de ce lieu. Comme ça, il ne me reverrait pas et surtout ne s'en prendrait plus à moi. Je suis si heureuse et épanouie en Italie, j'ai une nouvelle vie sereine avec un mari merveilleux.

XIV

Je n'arrête pas de lire toutes les lettres du corbeau que j'ai reçues. Si elle n'habite pas en France, elle est forcément en Italie. C'était son rêve d'y aller, mais je n'ai vraiment aucune idée de la ville où elle pourrait être. Je suis dépitée. J'en parle à Franck qui me dit qu'en effet l'Italie c'est grand. Et puis surtout, elle peut aussi avoir changé d'avis et être dans un autre pays. Il ajoute aussi qu'elle est sûrement mariée. Je sais qu'il a raison, mais je suis malheureuse sans elle. J'aimerais tellement qu'elle soit là quand mon fils va venir au monde. Le jour de mon mariage aussi. Je décide d'attendre au cas où, je reçoive d'autres lettres. Je pense effectuer des recherches en Italie avec l'aide de Floriane. À distance, ça va être difficile mais elle ne peut plus venir dans le sud, elle bosse. Nous allons donc communiquer via les réseaux sociaux ou par téléphone. Quand je lui parle de l'Italie, elle me dit qu'elle a une amie qui y habite, à Milan exactement. Elle pourra peut-être nous aider. Espérons que Leslie n'a pas changé de nom sinon ça va être plus compliqué. Je n'en reviens pas que nous ayons cette chance de notre côté. Pour le moment je ne dirais rien à Franck, car en ce moment, il a plutôt tendance à me décourager. Floriane me dit qu'elle va contacter son amie. Elle reviendra vers moi d'ici quelques semaines. J'espère un retour rapide mais je ne veux pas lui mettre la pression, vu qu'elle travaille également.

Nous approchons des vacances de Pâques, les enfants viennent de terminer leurs cadeaux, ils vont le donner à leurs parents en fin de semaine. Ça sera le début des vacances. J'ai mis un bol avec des chocolats en classe, ils peuvent en prendre deux par jour s'ils veulent. Il n'y en a déjà presque plus ! Vendredi arrive ; les parents sont tous ravis du cadeau, ils me remercient pour l'idée. J'ai le droit à des chocolats comme tous les ans. Je suis toujours gâtée en tant que maîtresse. C'est plaisant ! Je fais ce métier par passion donc je suis toujours gênée par les présents des familles mais touchée malgré tout.

Une fois rentrée à la maison, je m'allonge et je ferme les yeux. Je suis vraiment fatiguée, plus la grossesse avance pire c'est. C'est normal, car bébé puise toute mon énergie. Au moment où je suis sur le point de m'endormir, Floriane m'appelle et me dit qu'elle a eu son amie italienne. Elle va partir pour les vacances chez elle pour essayer d'effectuer des recherches. Son amie a trouvé une « Leslie Dupuis » sur internet. En revanche, il n'y a pas d'adresse exacte, juste la ville : Rome. C'est déjà un grand pas de savoir la ville. Je lui dis de ne pas se prendre la tête et je la remercie d'effectuer des recherches pour moi. J'ai toujours interdiction de me déplacer. Elles ont pris un hôtel à Rome pour quinze jours, elles en profiteront pour visiter la ville. J'aurais tellement aimé pouvoir y aller aussi. Floriane m'a promis de m'appeler tous les soirs, pour me faire un résumé de la journée. Je raccroche et m'assoupis une petite heure. Je me réveille doucement, ça m'a fait un bien fou de me reposer. Franck rentre du travail, nous dînons directement afin de regarder un petit film tranquillement en amoureux. Je ne veux pas lui annoncer la nouvelle que je viens d'avoir parce que je crains qu'il ne me décourage de nouveau, je lui en parlerai en temps et en heure.

XV

Pendant ce temps en Italie, Floriane vient d'arriver dans l'hôtel ; elle est en train d'installer ses affaires dans sa chambre pendant que son amie Sonia s'installe dans la sienne. Elles ont prévu de se rejoindre dans le salon de l'hôtel pour boire un verre et commencer les recherches via l'ordinateur qui s'y trouve. Une fois ensemble, Sonia commence à taper sur l'ordinateur « Leslie Dupuis, » : Rome. Il n'y a rien de spécial à part la page du site italien qu'elle avait déjà trouvé de chez elle. Il n'y a pas de photos, elle se crée un compte et décide d'envoyer une invitation à cette fille.

Quelques heures plus tard alors qu'elles sont en train de se promener, Sonia entend son téléphone faire un bip. Leslie a accepté sa demande. Elle va donc regarder sur son compte, elle s'aperçoit qu'elle est mariée et maman. Il n'y a aucune adresse donc elle ne sait pas trop comment faire. Elle doit lui envoyer un message, mais quoi dire sans que cette dernière se doute de quelque chose ? Elle lui écrit le message suivant : « Je viens d'arriver en Italie. Je suis à la recherche de nouvelles personnes afin de me créer un noyau d'amis. » Leslie est en ligne et lui répond quasiment de suite. Elles discutent pendant un moment ensemble. Sonia lui propose une rencontre juste pour faire connaissance. Elle n'a pas l'air contre. Leslie préfère déjà discuter ici pour commencer. Elles parlent durant deux jours, Sonia lui dit qu'elle est née à Paris, elle apprend que Leslie aussi. Mais elle a quitté la France pour ses études. Leslie lui parle de son lycée et de la rue où elle habitait lorsqu'elle était encore à Paris. Sonia lui a juste dit qu'elle connaissait un peu le quartier dont elle lui parlait. Elle n'a rien dit de plus pour ne pas éveiller les soupçons de cette dernière. Elles parlent un peu famille, Leslie lui dit qu'elle n'a plus de contact avec ses parents pour des raisons personnelles. Au bout d'un moment, Sonia lui dit qu'elle doit partir. Elle lui écrit donc « au plaisir de se reparler ». Leslie lui répond : « Également ».

À la suite de cette conversation, Floriane est sûre que c'est la bonne personne. Malgré tout, elle ne veut pas contacter Laura pour ne pas lui donner encore de faux espoirs. Elle préfère attendre quelques jours afin d'être certaine que c'est bien elle. Les filles partent se promener dans le quartier du Vatican. Floriane a toujours rêvé d'y aller. Le soir, nous allons manger dans un restaurant italien qui nous a été conseillé par la réceptionniste de l'hôtel.

Nous nous installons en terrasse, Sonia regarde ses mails, elle en a un de Leslie. Elle lui pose énormément de questions, nous commençons à craindre qu'elle se doute de quelque chose. Elle répond que des choses inconnues pour elle. Leslie veut bien la rencontrer et passer la journée avec elle demain. Sonia accepte sans réfléchir. Nous sommes excitées de ce qui vient de se passer. Je décide de les suivre demain, mais discrètement bien évidemment. Il faut être sûre que c'est la bonne personne. Si ce n'est pas le cas, j'appellerais Sonia directement sinon rien. Nous partons nous coucher tôt, car le lendemain nous avons rendez-vous à 11 h. Il faut le temps que je trouve un endroit pour qu'elle ne me voie pas.

Le réveil sonne. Nous partons rapidement prendre notre petit déjeuner. Une fois terminé, nous prenons la direction du point de rendez-vous. Nous nous sommes bien évidemment séparées très rapidement. Je mets en route mon GPS de téléphone pour ne pas me perdre. Au loin, j'aperçois Leslie arriver ; je dis son prénom parce que c'est bien elle ! La jeune fille que j'ai connue en camp de vacances, j'en suis certaine. Je prends une photo pour l'envoyer plus tard à Laura, elle va la reconnaître tout de suite. Les filles vont se promener dans Rome, je suis de loin. Ce n'est pas toujours facile, car elles vont vite. Elles s'installent en terrasse pour déjeuner. Je me mets dans un restaurant en face. Je reçois un SMS de Sonia me demandant : « Je suppose que c'est bien elle, vu que tu ne m'as pas appelé ».

Je lui réponds rapidement : « Bingo ! » J'ai un sourire jusqu'aux oreilles en l'écrivant. Après le déjeuner, elles se séparent. On a prévu de se retrouver à l'hôtel ; j'y suis déjà à l'attendre sagement. Nous voilà heureuses, mais ne sachant pas quoi faire. Laura ne peut pas venir et elles, de leur côté ne peuvent pas dire à Leslie la vérité. Elle risque de prendre peur et de couper tout contact.

XVI

Je n'ai pas de nouvelles de Floriane et de son amie depuis au moins quatre jours. Je commence à stresser, je décide donc de lui envoyer un SMS. Je lui écris : « Tout va bien pour vous deux ? » Je reçois une réponse suivie d'une photo. Je clique et je la vois là, devant mes yeux. J'éclate en larmes, c'est elle, c'est Leslie. Elle n'a pas changé, je suis en plein rêve. Je suis tellement en colère de ne pas pouvoir me déplacer. Les filles m'appellent et m'expliquent qu'elles ont ses coordonnées. Sonia, l'amie de Floriane, compte la revoir. Cependant, elle va attendre qu'elle la recontacte elle, pour ne pas éveiller ses soupçons. Franck arrive et me voit en larmes alors je lui montre la photo. Il me dit :

« Qui est-ce ? »

Je lui crie : « Mais c'est elle, c'est Leslie ! »

Il reste sans voix au lieu de se réjouir pour moi. Je ne le comprends pas alors je lui dis clairement. Là, il me répond :

« Si, mais j'ai juste du mal à y croire », dit-il.

Je sens bien qu'il est perturbé, mais je n'arrive pas à comprendre pourquoi. Je le vois envoyer un SMS, je me demande bien à qui ? La soirée se termine et on ne se parle pas du tout. Comme si j'avais commis une erreur monumentale. J'ai juste retrouvé ma sœur de cœur. Il pourrait se réjouir pour moi. Au lieu de ça, il reçoit et envoie des SMS sans arrêt. Il me dit que c'est à un collègue vétérinaire, mais je n'y crois pas une seule seconde, vu sa tête.

Le lendemain matin, il part travailler de bonne heure, je suis encore au lit. Mon téléphone sonne, c'est Loïc. Je me demande bien ce qu'il me veut encore, malgré tout je décroche. On parle très longtemps et je n'en reviens pas de ce que j'entends. Il me dit que les lettres étaient de lui. Depuis le début, il sait que Leslie est en Italie, mais il ne sait pas où exactement. En revanche, il m'apprend quelque chose que je n'aurai jamais deviné et qu'il m'a promis de garder pour moi. Leslie a été adoptée par ses parents et elle a un frère qui lui est resté avec leurs parents biologiques. C'est Franck ! En gros, le père de mon futur bébé est le frère de ma meilleure amie que je n'ai pas revue depuis plus de 11 ans. Mes beaux-parents sont ses vrais parents. J'hallucine complètement, j'ai besoin de voir Loïc pour parler de tout ça en vrai. Il me propose de venir me chercher en voiture en début d'après-midi. J'accepte directement. Nous allons chez lui et là, il me redit tout à tête reposée. Je suis sur une autre planète. Je le remercie de m'avoir tout dit. Il me répond alors qu'il n'arrivait plus à le garder pour lui. Il me considère comme une vraie amie et il n'aime pas me mentir. Je le remercie encore une fois et je lui promets de ne rien dire à Franck. Je pose la question de pourquoi elle est partie comme ça, il ne sait pas du tout. Nous buvons un verre chez lui et ensuite il me ramène sur les coups de 18 h. Une fois à la maison, j'ai l'impression que ma vie n'est que mensonge. Ma rencontre avec Franck a dû être organisée, tout est faux ! Je ne comprends pas pourquoi il ne m'a jamais rien dit, si soi-disant il m'aime. La grande question est comment je vais me défaire de toute cette affaire ? J'ai envoyé un texto à Floriane pour tout lui raconter. Elle me rappelle immédiatement. Elle n'en revient pas de toute cette histoire.

Sonia a revu Leslie, mais elle a été distante, donc elle pense que Franck lui a dit pour la photo. Elles vont rentrer chez elles. Moi de mon côté, je vais continuer ma petite vie en essayant de savoir comment me sortir de cette histoire de dingue.

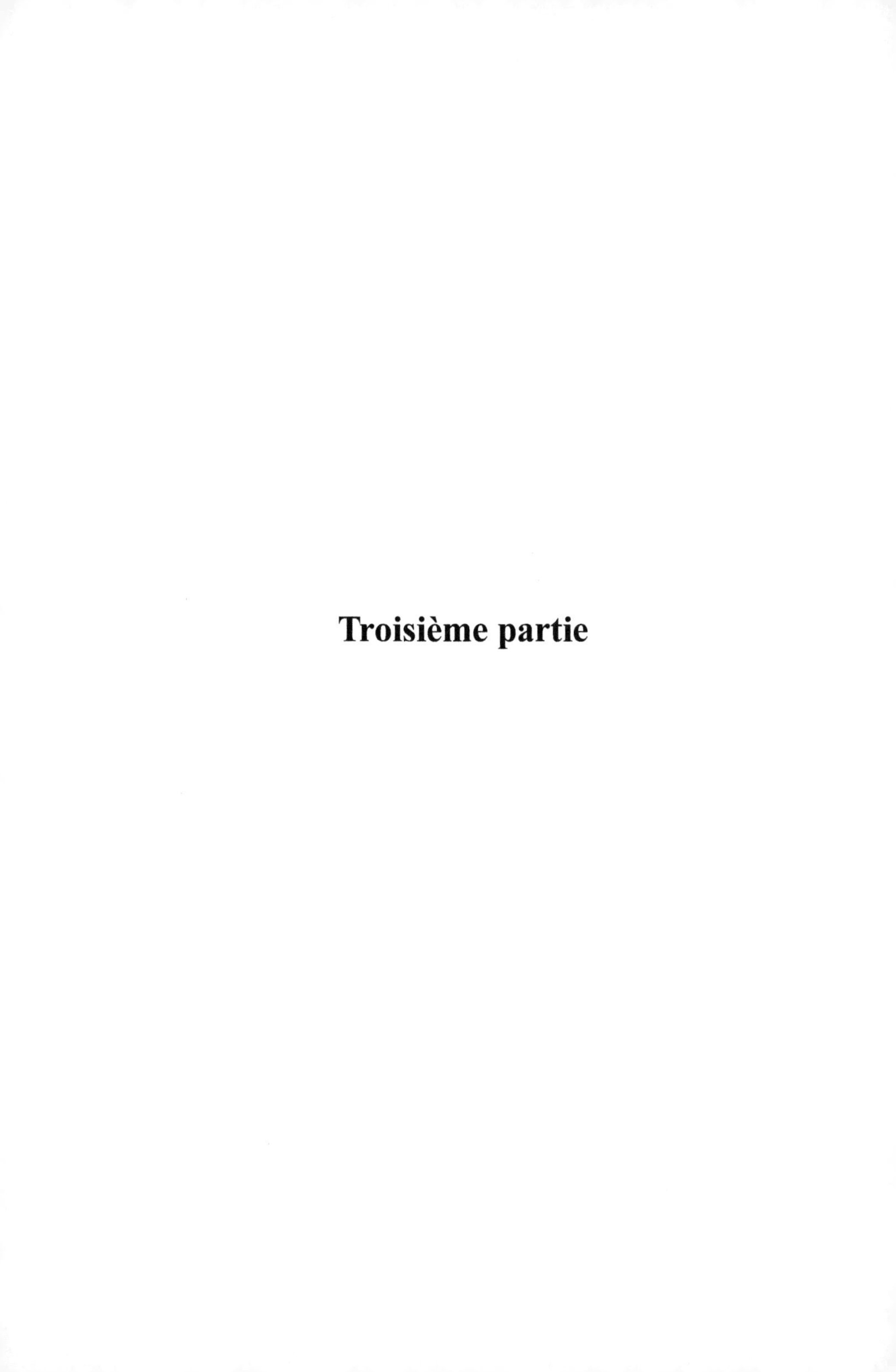

Troisième partie

XVII

Nous sommes le 10 juin, je dois accoucher dans maximum deux semaines. Un soir, je me sens vraiment très mal. Nous partons à la maternité en urgence. Ils décident de me garder. C'est donc le grand jour, je n'en reviens pas. J'envoie un message à Floriane pour lui dire. Nous papotons alors ensemble, ça me fait du bien. Quelques heures après, notre petit Hugo a pointé le bout de son nez, il pèse 2kg500 pour 52 cm, nous sommes si heureux. Je suis restée à la maternité quatre jours et nous sommes rentrés chez nous. Je ne pense qu'à une chose, aller en Italie avec Floriane et son amie pour enfin aller frapper à la porte de Leslie. Maintenant j'ai ce petit amour avec moi que j'allaite. Je refuse de le laisser seul, pour l'instant. Il est aussi trop petit pour voyager. Je préfère attendre ses trois mois pour partir et l'emmener avec moi.

Trois mois plus tard, je prends la décision de partir en Italie avec Hugo sans le dire à Franck. Il croit que je vais voir mes parents, je suis obligée de lui mentir pour pas qu'il la prévienne. Je n'aime pas ça, mais après tout il le fait avec moi depuis plusieurs années. Je rejoins Floriane et Sonia en Italie directement. Nous avons rendez-vous à l'aéroport de Rome. Nous nous retrouvons, il est 17 h. Nous décidons d'aller nous installer et dîner dehors. Nous partons ensuite nous coucher pas trop tard, car nous sommes fatigués. Je veux également qu'Hugo se repose bien de ce trajet en avion, il est encore tout petit. Il m'a réveillé qu'une fois dans la nuit. Nous nous sommes rendormis jusqu'à 9 h.

J'ai rendez-vous avec les filles à 11 h, pour aller visiter Rome que je ne connais pas du tout. Sur les coups de 15 h, nous irons chez Leslie. Elle a donné rendez-vous à Sonia pensant qu'elle serait seule, bien évidemment. Je ne mange quasiment rien à midi. Je donne le sein à mon fils et c'est tout. Il s'est endormi dans la poussette. Ce qui m'arrange, car j'ai la tête ailleurs.

XVIII

Et voilà, je suis devant chez Leslie, les retrouvailles que j'espère depuis tant d'années vont enfin avoir lieu. Je tremble de joie et en même temps de peur. Je ne sais pas comment elle va réagir en me voyant, vu qu'elle ne m'a plus donné signe de vie. Elle veut peut-être oublier tout son passé. Sonia sonne à la porte, je suis en retrait sur le côté pour ne pas prendre le risque qu'elle me voie tout de suite et que tout tombe à l'eau. Elle ouvre alors sa porte rapidement. Comme prévu, je m'avance, je suis en larmes. Dès qu'elle me voit, elle s'écroule en pleurs par terre. Elle se relève tout de suite et se jette dans mes bras, on n'arrête pas de pleurer. Elle nous invite à rentrer. Elle nous offre un bon goûter. Elle est avec son fils, Julio, il est magnifique. Elle voit Hugo et repleure. Elle me dit qu'il est très beau et me félicite. Je réalise alors que c'est son neveu, c'est tellement irréaliste encore pour moi. Je lui raconte vite fait ce que j'ai appris il y a peu de temps sur Franck. Je lui dis que je ne comprends strictement rien à cette histoire. Elle me dit qu'elle va tout me raconter. Avant de tout me dire, elle m'avoue que Franck lui a envoyé des SMS quand je lui ai montré sa photo. Elle se doutait que Sonia n'était pas rentrée en contact avec elle pour découvrir Rome. Elle espérait en secret qu'il y ait un rapport avec moi.

Elle m'explique tout en détail, je n'aurais jamais pensé ça venant de son papa qui était adorable, c'est quand même fou. Pour son adoption, je le savais déjà. Elle me dit que Loïc l'a beaucoup aidée, écoutée et conseillée pendant le camp d'été. Elle lui avait dit qu'elle voulait partir et que ça ne se sache pas. Il lui avait dit qu'elle pourrait compter sur lui, qu'il ne dirait rien à personne. Il avait en effet bien joué le jeu, mais en même temps, il ne savait pas exactement quand elle comptait le faire. Elle m'explique que c'est elle qui a dit à Franck de se taire. En effet notre rencontre, s'est bien grâce à elle, elle savait que nous nous plairions. Du coup, elle avait de mes nouvelles régulièrement. Étrangement, je n'en veux pas à Franck. Malgré tout, j'ai quand même l'impression d'avoir été prise pour une idiote. Je lui pose des questions au sujet de son père adoptif. Ce qu'il lui a fait est atroce ; le pire c'est que sa mère ne se doutait strictement de rien. Je lui dis qu'il faut qu'elle porte plainte ; elle me dit que personne ne la croirait. Je lui réponds alors :

« Tu ne sais pas peut-être qu'il y a eu d'autres victimes. Il a deux enfants à lui ; je me souviens les avoir rencontrés à l'époque. Sincèrement fais-le, nous serons tous là pour te soutenir. »

Elle finit par me dire qu'elle va y réfléchir et en parler avec son mari pour avoir son avis. Même si elle sait déjà qu'il pense la même chose. La journée se termine et elle nous propose de dîner chez elle, nous acceptons. Je rencontre son mari, il est adorable. Elle a de bons goûts, mais ça, je le savais déjà. Nous mangeons un risotto aux légumes préparé par un vrai Italien, c'est délicieux ! Elle m'annonce qu'en septembre, Franck l'a invité chez nous pendant mon séjour chez mes parents. Mais que du coup, elle aimerait que je sois là si c'est possible. Évidemment que je serai présente, onze ans sans se voir, c'était invivable pour moi. Elle est aussi heureuse de revoir Floriane, ça lui fait plaisir, car elle l'avait bien aimée durant le camp. Elle n'avait pas appris à bien la connaître, car elle pensait qu'à fuir son beau-père au plus vite. L'heure de partir arriva et ce fut douloureux. Je sais que je vais bientôt la revoir, mais j'ai toujours cette peur au fond de moi. Donc mes larmes coulent et elle me dit :

« Ne t'en fais pas, je serai à Montpellier dans quelques semaines pour tout le mois de septembre. »

Je la prends dans mes bras. Nous repartons ensuite à l'hôtel. Le lendemain, nous devons nous lever tôt pour reprendre notre avion, direction la maison.

XIX

Nous sommes dans l'avion en direction de Montpellier. Franck sera là pour nous récupérer. Leslie l'a appelé pour lui dire que j'étais chez elle et non à Paris. Elle lui a expliqué pourquoi je ne lui en avais pas parlé, je craignais sa réaction. Il avait voulu me parler pour me rassurer et me dire qu'il me comprenait. Il aurait fait la même chose. En arrivant, je l'aperçois, je cours vers lui pour lui dire que je ne lui en veux pas. Il dépose Floriane et Sonia à l'hôtel pour une nuit, elles repartent le lendemain matin. On se dit donc au revoir. Ensuite, on arrive à la maison et là, je lui dis que je pense avoir réussi à convaincre sa sœur à porter plainte contre son père adoptif. Il est heureux, car il lui a déjà dit plusieurs fois dans le passé, mais elle avait toujours refusé. Nous passons une bonne fin de soirée, nous profitons l'un de l'autre. Au bout d'un moment il me dit :

« Notre rencontre a été provoquée c'est vrai mais je ne serais pas sorti avec toi juste pour faire plaisir à ma sœur. Tu me plaisais réellement et c'est toujours le cas. »

Nous nous embrassons tendrement. Nous sommes allés nous coucher assez tôt.

Le lendemain, Franck travaille, moi non, j'ai pris une pause dans mon boulot. J'ai décidé de prendre un congé parental de deux ans pour profiter à fond de mon fils, qui grandit déjà à une vitesse de fou. Il va déjà avoir quatre mois en septembre. Nous sommes fin août, les vacances sont bientôt terminées. Leslie arrivera aux alentours du 15 septembre et restera au moins un mois, j'ai tellement hâte. Elle laissera Julio à son papa pour que nous puissions profiter comme au bon vieux temps, ça m'a tellement manqué.

Toute la fin du mois d'août, je me suis axée sur la décoration de la chambre d'Hugo. Elle n'est toujours pas terminée, parents indignes que nous sommes ! Pour le moment, il est en cododo dans notre chambre donc on a largement le temps. Je veux tout de même m'en occuper afin de ne pas penser sans arrêt à l'arrivée de Leslie. Je vais à Polygone pour faire toutes les boutiques de décorations pour trouver des choses originales. Je reviens heureuse de ce que j'ai trouvé. Je mets tout par terre dans sa chambre. Je compte la commencer demain. Là, il est déjà l'heure du bain pour Hugo, ensuite le nourrir et le coucher. Je dois avant tout attendre qu'il se réveille. Mon fils lit dans les pensées de sa maman. Même pas deux minutes plus tard, il se met à pleurer, je lui donne le sein. J'attends une trentaine de minutes pour lui donner son bain. Il adore être dans sa baignoire, il passe son temps à me sourire. Au moment de le sortir, les pleurs arrivent. Je suis allée le coucher dans son cododo qui est collé à mon lit. J'allume le babyphone comme je ne me couche pas tout de suite, je préfère le voir avec la caméra. Nous devions aller manger au restaurant tous les trois, mais Hugo a besoin de calme. Il a eu ses vaccins donc je préfère que l'on reste loin du bruit, je sais que Franck comprendra. Je décide de préparer une salade composée, car il fait très chaud dehors. Franck rentre un peu plus tard ce soir, car il a eu une urgence avec une chienne qui a mis au monde ses petits. Il est donc arrivé aux alentours de 21 h, au lieu de 20 h. Je l'ai bien évidemment attendu pour manger. Je lui explique alors que je ne préfère pas aller au restaurant par rapport à Hugo. Il comprend parfaitement comme je l'avais imaginé. Nous nous installons sur notre terrasse pour dîner afin de profiter du temps. Il me raconte son dernier rendez-vous. La chienne a failli y passer, mais heureusement, il est arrivé chez les propriétaires et il a réussi à sauver tout le monde. J'aime tellement quand il me raconte ce genre de belles histoires, c'est pour ça qu'il m'en a parlé d'ailleurs. Franck a son cabinet de vétérinaire, mais il travaille aussi avec les urgences vétérinaires. Ça peut donc arriver qu'il soit appelé même en pleine nuit, mais heureusement, c'est rare.

Je passe les jours et semaines suivants à m'occuper de la chambre d'Hugo. Elle est enfin terminée. Je suis vraiment heureuse du résultat. Je l'ai faite dans les tons beige style jungle, Franck a craqué en la voyant. Leslie arrive demain, j'ai hâte qu'elle la voie. J'aimerais bien avoir son avis aussi. Elle vient de me téléphoner ce matin en me disant que finalement, elle allait venir avec Julio. Elle veut que l'on aille à Paris afin de trouver un avocat pour porter plainte contre son bourreau. Je suis contente qu'elle ait pris cette décision. J'accepte directement sa demande. Je suis allée tout de suite prendre des billets de train afin de nous y rendre, nous partirons dans trois jours. Nous sommes dimanche matin, Franck part récupérer sa sœur, j'ai encore du mal à réaliser qu'ils sont de la même famille. Finalement, je trouve ça génial d'être avec son frère, car ça va encore plus nous rapprocher. Elle arrive à la maison après être allée à l'hôtel déposer ses affaires. Julio a 3 ans et il est plein de vie.

« Je trouve ça trop mignon » lui dis-je.

Elle me répond alors :

« Pour toi sûrement, mais moi, parfois je n'en peux plus ».

Il adore aller voir son cousin dormir, nous le suivons à chaque fois pour être certaines qu'il ne le réveille pas. Il le regarde juste, touche sa couverture, c'est à croquer. Nous avons passé je ne sais combien de temps à essayer de le prendre en photo. Dès qu'il nous voit, il dit : « Non, pas photo », c'est trop mignon d'ailleurs. Je montre la chambre de mon fils. Leslie craque tout de suite, elle me dit que je pourrais être décoratrice d'intérieur. « Il ne faut pas pousser non plus ! » lui dis-je en souriant. Les deux jours suivants, nous sommes allées nous promener dans Montpellier, je lui ai montré tous les coins que j'aimais bien. Elle a tout trouvé génial, on a toujours eu les mêmes goûts elle et moi. Et voilà, nous y sommes c'est la dernière nuit avant le grand départ. Nous séjournerons dans un appartement que j'ai trouvé sur internet qui est en plein centre de la capitale. La grande aventure va commencer pour Leslie et je compte bien la soutenir jusqu'au bout.

XX

Nous arrivons à la gare de Montpellier, prêtes à monter dans le train avec nos loulous. Hugo en porte bébé et Julio tenant la main de sa maman sagement. Nous avons préparé des sandwichs pour le midi, car nous allons arriver à la Gare de Lyon vers 14 h. Les enfants vont sûrement avoir faim et nous aussi d'ailleurs. Une fois installés dans le train, Leslie sort des jeux pour son fils et il commence à s'amuser seul dans son coin. Elle croise les doigts, me faisant comprendre que ça peut ne pas durer longtemps. Nous passons tout le trajet à parler du sujet pour lequel nous allons à Paris. Elle a un journal intime où elle avait tout raconté. Elle l'avait pris à l'époque, elle avait anticipé avant de partir en colonie.

Une fois arrivés à Paris, nous allons dans notre appartement pour y déposer nos valises. Nous installons le lit parapluie pour Julio et pour ma part, le cododo. J'avais bien demandé avant s'il y avait un lit qui pourrait le supporter. Il y en avait bien un donc j'ai tout bien fixé. J'installe Hugo dans la poussette que la propriétaire nous a prêtée. Leslie a rendez-vous avec son avocat qui est dans le secteur. Elle y va et pour ma part je vais me promener au Luxembourg. Il fait beau et j'ai Julio avec moi. Il s'amuse comme un fou, il court et il a même fait du poney. J'avais eu l'accord de sa maman pour lui en faire faire. Leslie nous rejoint deux heures après. Elle me dit que pour l'avocat il y a assez de preuves avec son journal. Il est aussi persuadé qu'ayant des enfants, il a dû s'en prendre à eux aussi. En revanche, il faut qu'ils veuillent en parler. La grande question est : « Voudront-ils porter plainte contre leur père ? » Ils peuvent prendre sa défense malgré tout et s'opposer à un procès. C'est leur père biologique donc ils peuvent vouloir le protéger malgré tout. Leslie a leurs coordonnées, elle leur téléphone et les invite à dîner ce soir, ils acceptent tout de suite. Nous partons donc faire des courses. Ils ont des enfants plus grands que les nôtres, ils vont venir avec eux. De notre côté, on donne à manger à Julio et on le couche. Lorsqu'ils arrivent, ils se mettent à pleurer en revoyant Leslie. Eux aussi ne l'avaient pas revue depuis longtemps. On aborde rapidement le sujet pour lequel on les a invités. C'est sa sœur qui craque la première et qui confirme que son père a bien abusé d'elle. Son frère, lui nous raconte qu'il n'a rien subi mais qu'il avait vu son père profiter de sa sœur. Plusieurs fois, il a voulu intervenir mais le regard de son père le fixant lui avait fait peur. Il a donc gardé tout pour lui jusqu'à aujourd'hui. Ils expliquent à Leslie qu'à l'époque, lorsqu'ils ont appris sa disparition. Ils se sont doutés qu'elle avait fui pour cette raison. Nous étions heureux qu'elle ait pris cette décision.

« On n'en a jamais parlé à notre mère pour ne pas la rendre malade, elle avait déjà des soucis de santé », disent-ils en cœur.

Nous avons discuté de ça pendant une bonne heure. Nous avons ensuite changé de sujet. Leslie raconte ce qu'elle a fait durant toutes ces années, elle explique pourquoi elle a vraiment coupé les ponts avec tout le monde. Nous parlons ensuite du bon vieux temps, des bons moments car heureusement, il y en a quand même eu. Aux alentours de 23 h, ils repartent chez eux afin de libérer la baby-sitter. Finalement, ils étaient venus seuls nous voir afin de pouvoir parler calmement.

Nous sommes également parties nous coucher.

L'avocat de Leslie est d'accord pour défendre les deux sœurs, forcément ça va être plus cher, mais à nous tous, on arrivera à le régler. Il nous prévient que d'ici demain, cet homme va recevoir une convocation au commissariat de police, il n'y aura rien d'expliquer bien sûr. Juste un mot l'obligeant à se rendre sinon la police ira le chercher. Nous allons donc le revoir d'ici la fin de semaine pour tout lui balancer en pleine tête. Leslie appréhende énormément. Elle sait qu'il va faire son cirque de « père épleuré » qui retrouve sa fille disparue. Elle craint de réagir violemment s'il fait cela. Son avocat la rassure en lui disant qu'il interviendra s'il venait à lui parler. Nous décidons de profiter de Paris jusqu'à vendredi. Nous allons nous promener, nous sommes allés au Sacré Cœur, à la tour Eiffel que nous avons visitée. Nous avons été aussi sur les Champs-Élysées, mais également au musée du Louvre que nous avions déjà visité ensemble plus jeune.

Et voilà, nous y sommes, nous avons rendez-vous au commissariat à 15 h. Nous allons d'abord déjeuner à l'extérieur, histoire de nous déstresser un peu. En arrivant au commissariat, l'avocat me dit que je ne peux pas rentrer comme je ne suis pas de la famille. Je vais donc attendre dans une pièce à côté, en gardant Hugo. Julio est resté avec sa tata Jeanne et son tonton Paul. Le beau-frère et la belle-sœur de Leslie. J'ai bien évidemment gardé Hugo comme je l'allaite c'est plus simple. Leslie, son frère et sa sœur rentrent dans une salle. J'aimerais tellement pouvoir voir la réaction de cet homme, si on peut l'appeler comme ça d'ailleurs.

Une fois à l'intérieur de la salle, Leslie a le cœur qui bat comme jamais, elle ne se sent pas bien, elle décide donc de s'asseoir.

Au même moment, il entre dans la pièce tout sourire en m'apercevant.

« Te voilà enfin, ma chérie, j'étais sûre que c'était pour te retrouver. »

Cet imbécile croit que la police l'a convoqué parce que l'on m'a retrouvé. Mon avocat lui dit :

« Vous n'approchez pas ma cliente, Monsieur que ce soit bien clair ! »

Il recule donc et commence à faire une drôle de tête. Il me regarde avec un regard noir comme il me faisait avant. Je décide donc de ne plus le regarder à partir de maintenant. Le capitaine Luma commence à lui expliquer pourquoi tous ses enfants sont là :

« Vos filles portent plainte contre vous pour attouchement et abus sexuel sur mineur ».

Il se met à rire et dit :

« Du grand n'importe quoi ! »

J'étais sur le point de lui répondre, mais mon avocat ne m'en laissa pas l'occasion.

« N'importe quoi vous dites ? On verra bien avec les preuves que possèdent mes clientes », lui dit-il d'un ton sec.

Le capitaine nous demande, à Léa et moi, de relater les faits que nous avons vécus de 8 ans à 16 ans pour moi et de 8 ans à 20 ans pour Léa. Nous en racontons donc une partie. Notre avocat enchaîne :

« Ensuite, votre fille adoptive Leslie a fui et Léa a quitté la maison sans rien dire. »

Il allait continuer lorsque cet homme osa parler pour dire une chose affreuse :

« Ce n'est pas ma fille adoptive mais ma vraie fille. »

Et là c'est plus fort que moi, je crie : « Espèce de sale type ! » Mon avocat me fit signe de me taire. Il continue :

« Votre fille Léa a toujours gardé contact avec vous uniquement pour sa maman qu'elle aime plus que tout. »

Il arrête de parler là et se rassoit. Le capitaine Luma parle à son tour.

« Nous savons également de source sûre que votre femme n'était pas au courant de ce que vous faisiez endurer à vos filles, elle ne l'aurait jamais supporté », dit-il.

Il écoute tout ce que l'on dit sur lui sans rien dire et même sans aucun remords, ça se voit dans son regard. Tout d'un coup, il dit :

« Je suis sûr de moi, je n'ai jamais rien fait, ce sont des mensonges ».

Le capitaine lui répond :

« Nous verrons tout ça au tribunal, Monsieur. Mais sachez que vos filles ont des preuves », lui dit-il énervé.

Contre toute attente, il dit :

« La prescription vous connaissez ? »

L'avocat lui répond :

« Oui je connais mais dans cette affaire, elle n'a pas encore lieu d'être. Pour ce genre de faits, les victimes ont 30 ans pour déposer plainte. Vos filles sont encore dans le délai légal. »

On le voit de moins en moins sûr de lui. L'entretien se termine. Nous attendons un peu qu'il parte dans sa voiture pour sortir à notre tour. Nous rentrons directement à la maison, nous avons besoin d'être au calme. Leslie serre sa sœur dans ses bras, elles sont en pleurs toutes les deux.

« On va réussir à le faire enfermer », dit Léa en rassurant Leslie qui tremble de tout son corps.

Je comprends maintenant pourquoi elle était partie toutes ces années. Elle a été traumatisée par lui, plus que sa sœur. Léa n'a jamais pardonné mais elle avait décidé de vivre avec. Lorsque Leslie a voulu porter plainte, elle a changé d'avis. En fin de journée, nous sommes sortis tous ensemble pour nous changer les idées. Nous avons été dans un restaurant très sympa. La soirée était vraiment agréable, nous avons tous passé un bon moment. Nos soucis se sont envolés durant ce repas. Nous sommes ensuite allés nous coucher.

XXI

Le jour du procès arriva, les vrais parents de Leslie sont là pour la soutenir malgré l'abandon. Je pense qu'ils culpabilisent d'avoir fait cela, vu l'enfer qu'elle a vécu petite et adolescente. Franck est venu aussi pour soutenir sa sœur, je suis installée à côté de lui. En ce qui concerne les enfants, ils sont tous avec une nounou engagée par le Tribunal. Je lui ai laissé ce qu'il faut pour Hugo et si besoin, elle peut venir nous voir.

Le président entra et ensuite ce fut au tour de son « père » de s'asseoir à sa place de coupable. Il arrive en étant libre, mais on espère tous qu'il ressorte les menottes aux poignets. C'est au tour de Leslie de parler à la barre. Elle se lève et raconte en pleurs à moitié tout ce qu'elle a à dire sur ce personnage. La salle est choquée, on entend par moment : « Oh mon Dieu » ou encore « Pauvre enfant ». Sa maman adoptive la soutient. Elle pleure en entendant toutes ces horreurs. L'avocat des filles se met à lire quelques passages du journal de Leslie, le silence règne dans la salle. Des jurés féminins s'essuient des larmes en entendant toutes ces monstruosités. C'est maintenant au tour de Léa de parler. Elle raconte dans les détails. Je vois Leslie choquée de ce que raconte sa sœur. Je pense qu'il a fait plus d'horreurs à sa propre fille. Léa s'évanouit, le procès est temporairement arrêté, le temps qu'elle reprenne ses esprits. Son mari arrive près d'elle pour la rassurer. Environ une heure après, le procès reprend. Cette fois-ci, elle va jusqu'au bout de son discours, puis elle retourne vite s'asseoir. On lui apporte un verre d'eau. Le procès continue avec le témoignage de Jules. Il explique qu'il n'a jamais eu de soucis avec son père sauf quand il l'a surpris quelques fois avec sa sœur. Il avait voulu intervenir pour la sauver, mais son père l'avait fixé avec un regard noir. Il lui avait dit que c'était sa fille et qu'il avait le droit. Jules savait que non mais il n'avait pas osé lui répondre. Il n'en avait jamais parlé à sa mère. Il allait régulièrement consoler sa sœur qui pleurait. En revanche, il ne savait pas que Leslie subissait ça aussi. Il s'en est douté le jour où il a appris sa disparition. Il avait d'ailleurs trouvé qu'elle avait eu raison de le faire.

La décision du tribunal doit être le lendemain après-midi, nous allons tous dîner. On a réservé une grande salle, car nous sommes nombreux. Cette soirée nous a tous changé les idées. Je vois Leslie rire et son frère aussi. Je suis bien également, on profite tous de cette soirée qui nous change les idées. Nous nous sommes tous vidé la tête. Une fois rentrés, nous avons bien évidemment reparlé de l'affaire. On a d'ailleurs beaucoup parlé Leslie, Léa et moi. Je ne peux pas imaginer ce qu'elles ont vécu. Je compatis tout de même, car ça doit tellement être atroce de vivre ce calvaire. Et puis maintenant, devoir faire condamner son père surtout pour Léa, car c'est son vrai papa. Nous discutons toute la nuit, ça nous fait du bien. Nous aurons toutes une sale tête pour le verdict, mais ça nous a fait un bien fou de parler et de se confier.

Le lendemain, nous mangeons tranquillement à l'appartement, nous avons rendez-vous au palais de justice à 15 h. Nous nous retrouvons tous à 14 h 30 afin de boire un café dans le hall du tribunal en attendant que l'on nous appelle. Tout d'un coup, nous l'apercevons arriver au loin, mais il part dans l'autre sens. Il n'a pas le droit de nous approcher. Notre avocat vient nous chercher, nous rentrons nous installer à la même place que la veille. Il est là avec son air hautain ! La cour entre et s'installe ainsi que les jurés. Le Président résume tout ce qui a été dit hier et demande aux jurés de délibérer. Durant la délibération, nous sortons prendre l'air. J'ai l'impression que c'est très long. Nous rentrons peu de temps après, la décision a été prise. Leslie craint qu'il soit acquitté ou qu'il ait une peine légère. Je la rassure, lui disant que ce n'est pas possible. J'ai vu plusieurs fois des jurés pleurer, même des hommes. Nous retournons nous installer à nos places. Un des jurés se lève et dit :

« Nous déclarons M. Dupuis coupable d'abus sexuels et de coups sur ses enfants, il écope de 20 ans de prison ferme avec une période de sûreté de 15 ans. »

Nous crions tous de joie, Leslie et sa sœur s'effondrent en larmes, leurs maris sont là pour les soutenir. M. Dupuis a 75 ans, il sortira au plus tôt à 90 ou 95 ans donc sa vie est terminée. Nous sommes tous heureux, même la maman adoptive de Leslie. Elle vient la serrer dans ses bras et s'excuser.

« Tu ne le savais pas maman, tu n'as pas à t'excuser », dit Léa qui est derrière elle.

Notre avocat est vraiment heureux pour nous. Nous avons vu ce monstre, on peut l'appeler que comme ça, partir avec les menottes. C'est un tel bonheur de le voir la tête baissée. J'espère bien qu'il a honte de ce qu'il a fait.

Justice est enfin faite, Leslie va pouvoir vivre de nouveau sans se cacher. D'ailleurs, c'est lui qui aurait dû disparaître durant toutes ces années et non elle !

Épilogue

Quelques années se sont écoulées depuis ce verdict. Nous vivons toujours à Montpellier. Leslie est venue dans notre région aussi avec sa famille. Elle habite à Aigues-Mortes, on se voit régulièrement, nos enfants grandissent ensemble. Je me suis mariée avec Franck, nous avons fait une magnifique cérémonie, aidée par Floriane et son talent de décoratrice. Cette terrible histoire nous a tous soudés pour le restant de notre vie. C'est la seule chose positive qu'il en ressort. Maintenant, elle est loin derrière nous. Nous sommes toujours en contact avec Loïc et Sonia. Nous sommes même devenus inséparables. Leslie s'est rapprochée de ses vrais parents. Même si elle leur en veut toujours. Elle apprend tout de même à les connaître. En ce qui concerne sa maman adoptive, Leslie est toujours en contact avec elle. Elle a préféré rester à Paris. En revanche, elle a déménagé. Elle ne voulait pas rester dans l'appartement où ses enfants ont été martyrisés, ce sont ses propres mots.

Imprimé en Allemagne
Achevé d'imprimer en octobre 2022
Dépôt légal : octobre 2022

Pour

Le Lys Bleu Éditions
40, rue du Louvre
75001 Paris